心理勵志 ㊺

活在當下

Real Moments

by Barbara De Angelis

安吉麗思 著

黎雅麗 譯

作者簡介

安吉麗思（Barbara De Angelis）

美國知名的人際關係專家，也是重要的暢銷書作家，所著的《妳不能不了解他的心》（*Secrets About Men Every Woman Should Know*），以及《注定與你結緣》（*Are You the One for Me ?*），分別在《紐約時報》暢銷書排行榜上名列前茅。曾爲美國哥倫比亞廣播電視網（CBS−TV）主持節目，也曾擔任美國有線電視新聞網（CNN）新聞之夜（Newsnight）節目的人際關係專家，且經常受邀爲著名脫口秀節目的特別來賓；目前定居在美國洛杉磯。

譯者簡介

黎雅麗

國立政治大學新聞系畢，美國威斯康辛州立大學麥迪遜分校課程暨教學研究所碩士。曾任《我們的》雜誌採訪編輯、政大新聞系助教及台大新聞研究所講師。目前旅居加拿大。

序

當下

曉風

「當下」這個詞，不知可不可以被視爲世間爲最美麗的字眼？

◆

她年輕，美麗、被愛，然而，她死了。

她不甘心，這一點，天使也看得出來。於是，天使特別恩准她遁回人世，她並且可以在一生近萬個日子裏任挑一天，去回味一下。

她挑了十二歲生日的那一天。

十二歲，艱難的步履還沒有開始，複雜的人生算式才初透玄機，應該是個值得重溫的黃金時段。

然而，她失望了。十二歲生日的那天清晨，母親仍然忙得像一隻團團轉的母雞，沒

有人有閒暇可以多看她半眼，穿越時光回奔而來的女孩，驚愕萬分的看著家人，不禁哀嘆：

這些人活得如此匆忙，如此漫不經心，彷彿他們能活一百萬年似的。他們糟蹋了每一個「當下」。

以上是美國劇作家懷爾德的作品《小鎮》裏的一段。

◆

是啊，如果我們可以活一千年，我們大可以像一株山巔的紅檜，掃雲拭霧，臥月眠霜。

如果我們可以活一萬年，那麼我們亦得效悠悠磐石，冷眼看哈雷彗星以七十六年爲一週期，旋生旋滅。並且翻覽秦時明月、漢代邊關，如翻閱手邊的零散手札。

如果可以活十萬年呢？那麼就做冷冷的玄武岩岩岬吧，縱容潮汐的乍起乍落，浪花的忽開忽謝，岩岬只一逕兀然枯立。

果真可以活一百萬年，你儘管學大漠砂礫，任日昇月沉，你只管寂然靜闐。

然而，我們只擁有百年光陰。其短促倏忽——照聖經形容——只如一聲喟然嘆息。

即使百年，元代曲家也曾給它作過一番質量分析，那首曲子翻成白話便如下文：

◆

號稱人生百歲，其實能活到七十也就算古稀了，其餘三十年是個虛數啦。
更何況這其間有十歲是童年，糊里糊塗，不能算數。
後十載呢？又不免老年癡呆，
嚴格說來，中間五十年才是真正的實數；
而這五十年，又被黑夜佔掉了一半；
剩下的二十五年，有時颳風，有時下雨，種種不如意；
至於好時光，則飛逝如奔兔，如迅鳥，轉眼成空。
仔細想想，都不如抓住此刻，快快活活過日子划得來。

◆

元曲的話說得真是白，真是直，真是痛快淋漓。

萬古乾坤，百年身世。且不問美人如何一笑傾國，也不問將軍如何引箭穿石。帝王將相雖然各自有他們精彩的腳本，犀利的台詞，我們卻只能站在此時此刻的舞台上，在

燈光所打出的表演區裏，移動我們的台步，演好我們的角色，扣緊劇情，一分不差。人生是現場演出的舞台劇，容不得NG再來一次，你必須當下演好。

◆

生有時，死有時
栽種有時，拔毀有時
………
哭有時，笑有時
哀慟有時，歡躍有時
拋有時，聚有時
尋獲有時，散落有時
得有時，捨有時
………
愛有時，恨有時
戰有時，和有時

以上的詩，是號稱「智慧國王」所羅門的歌。那歌的結論，其實也只在說明，人在周圍種種事件中行過，在每一記「當下」中完成其生平歷練。

◆

「當下」（Real moment），應該有理由被視爲人間最美麗的字眼。

◆

有沒有人爲「當下」這個念頭寫一本書呢？有的（好在有！），美國的心理學家芭芭拉·狄·安吉麗思寫了。書在一九九四年底出版，在紐約時報的排行榜上，連續上榜二十多週。

書雖在美國出版，但對台灣讀者而言，卻了無隔閡。其中所提到的惶惑的人羣，焦慮枯竭的心靈，汲汲自危的意識，冷淡疏離的人際關係，那一樣不是今日台灣的寫照？也因此，作者所提出的自我的重生，圓融互動的善意，以恬淡返璞爲手段而達成的寧靜致遠，用活潑創意的「行善游擊戰」而激出的愉悅效應……，在在也都可作台灣社會的針砭。

附帶一提的是，此書譯筆細緻醇雅，可堪細賞。

有機會讀到這樣一本好書，樂爲之書序如上。

（本文作者為知名作家，陽明大學副教授）

作者序
豐富心靈之旅

我之所以寫這本書，是因爲我需要提醒自己這方面的知識；我寫這本書，是因爲和許多人一樣，我自己的生命，需要更多的真實剎那。身爲作者，之所以寫這本書，是因爲我知道，最有效的自我發掘過程，始終是先靜默，並傾聽靜默，然後寫下我所聽到的；而所有透過我的筆端刻畫在紙上的文字，我總是第一個受益者。

人的一生總會遇到幾次反省和轉型的成熟時機，而現在，我正面臨其中的一次。過去幾年裡，我成就了不少多年來的夢想：我找到了夢想已久的白馬王子，我爲自己創造了富裕而美好的生活；然而當我問自己：「芭芭拉，妳快樂嗎？」我竟然答不出來。很多朋友打電話來恭喜我結婚或爲我的成就道賀，他們總是說：「妳現在一定非常、非常快樂。」這樣的說法每每會在我的腦海裡盤旋數日，揮之不去。我知道，我已經擁有了

這麼多美好的際遇，是該高興快樂，可是我卻覺得自己並不快樂。

欠缺真實剎那

就是那個時候，我開始明白，我的生活裡欠缺的是更多的「真實剎那」：欠缺一些不必急著去哪裡、不必急著完成什麼的悠遊時光，欠缺一些我能真正投入和享受的片刻。多年來，我已練就了一身起而行的本事，卻十分拙於無所是事，當然也包括了無所是事中的快樂。

當我向一些知己好友吐露這個藏在心底的困擾時，我發現，原來在這個問題上，我一點也不孤單。我告訴他們：「近來我正在寫一本新書，書名是《活在當下》（*Real Moments*）。」所有人的反應竟然都是：「天啊，我真要好好讀讀這本書！」我這才了解，在感情和性靈的十字路口上徬徨的，並不只有我一個。有太多人徘徊在這樣的交叉道上，回顧來時路，對人生的意義和曾做過的選擇都心存懷疑；翹首未來，希望能找到令自己心安的答案。

我也相信，美國這個國家，在心靈上已經病入膏肓。在這個充斥著暴力和恐懼的時代，現存的價值觀已將我們遠遠帶離知足與和諧——那是我們祖先遠渡重洋，千里迢迢來到新大陸所要找尋的東西。美國人正極力找尋並重新定義新的價值觀，在二十一世紀

來臨之際，我們每一個人，都在爲得到更多的真實刹那努力不懈。

在這本書裡，我要請讀者和我一起，在來到十字路口時，問問自己：

「我快樂嗎？」

「我在這兒究竟做了些什麼？」

「我正在做的是我所該做的嗎？」

「我的生命裡擁有足夠的真實刹那嗎？」

老實說，這些都不是容易回答的問題。提出這些問題需要勇氣，而耐心傾聽自己內心的答案往往需要更大的勇氣。但是，功不唐捐，未來的每一天，你都將得到新層次的愛、平靜與啓示，那是你最大的報償。

在回答上面這些問題的過程裡，我看到新生、解放的真我，生活裡也有了極大的變化，有些變化並不顯眼，有些則十分戲劇化。不過最大的改變應該是：現在的我擁有許多真實的刹那。每一天，我都能找到更多的寧靜，對什麼才是真正的快樂也能了解更多、體會更多。

所以，儘管這本書是我一次全新的嘗試，我仍然願以全心的愛把它獻給讀者。希望藉著這樣的分享，能使你追尋真實刹那的旅程更充實、更豐富。

目錄

第 一 篇

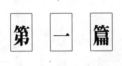

當下省思

第一章

你快樂嗎？

起初，我想進大學想得要死；
隨後，我巴不得趕快大學畢業好開始工作；
接著，我想結婚、想有小孩又想得要命；
再來，我又巴望小孩快點長大去上學，好讓我回去上班；
之後，我每天想退休想得要死；
現在，我真的快死了……，
忽然間，我明白了，我一直忘了真正去活。

——無名氏

這本書探討的是使生命富有意義的「真實剎那」，以及我們如何擁有更多「真實的剎那」。它要你去體驗生命中每一刻的完滿與奧妙，真正的滿足就在當下的此時此刻，而不是非要等到賺了更多的錢、找到門當戶對的另一半或減肥成功以後才能獲致。它探討如何重新看待你與伴侶和孩子在一起時的真實剎那，工作和遊戲時的真實剎那，最重要的是，面對你自己的真實剎那。

誠實看待你自己的生命。你每天每夜所做的事都很有意義，且能使你心中微笑嗎？你是否把大多數的時間都花在幾乎毫無樂趣的事情上？當你生命終了，你會不會希望自己曾經以另一種方式過活？如果你只剩下一個月的壽命，你會做什麼改變？

檢視你自己的內心深處。你快樂嗎？有什麼東西是你覺得必須擁有才會快樂？你確定擁有那樣東西之後，你一定會快樂嗎？那樣你就滿足了嗎？

真切正視你自己心靈的價值。假設明天你突然死了，在回顧自己的一生時，哪些時光會是你最珍視的？你會最想念活著時候的哪一部分？

「用心」

藉著這本書，你可以開始針對這些問題去尋找自己的答案，就像我也一直在找尋屬於我自己的答案一樣。我相信對自己提出這些問題非常重要，它會迫使我們不再麻木

地、機械式地過日子，而必須用心去活。

有一個禪的故事很有名——一個弟子來到師父跟前，請求師父開示生命的智慧。師父對這焦急的弟子注視了一會兒，然後拿起毛筆寫下「用心」二字。弟子不解，著急地請師父解釋，師父又寫了一次「用心」。這時，年輕的弟子又頹喪、又生氣，完全無法理解師父要教給他的道理。於是，師父再次耐心地寫著：用心……，用心……，用心。

生活的片段，有時是無盡的喜悅，有時是深沉的傷慟。然而不變的是，當你全心全意於你所處的那一時、那一事、那個當下，你所經驗的便是一個深具意義、絕不枉費的剎那。這就是我所說的「真實的剎那」。

電影「銀河飛龍」裡有一句台詞是：

我發現「我們為什麼在這裡？」是人類常問的典型問題，然而，我倒覺得，不如問：「我們真的在這裡嗎？」這似乎更值得深思……。

此刻，你正心無旁騖讀著這個句子嗎？抑或分了神想著其他該做的事，或盤算著晚餐要吃什麼？你是不是好像在讀著，心裡卻仍掛念昨晚和女朋友吵了架，或在猜想剛才碰到的那位男士，會不會打電話來約妳出去？我們大多數人都無法全然專注於自己正在

做的事，無法心無雜念地感受眼前時刻。我們把絕大部分的時間都花在心不在焉上，以至於很難擁有真實的剎那，因爲只有在你百分之百地經歷當下的那一瞬間，真實的剎那才能富含力量，才能完滿。

真實剎那的另一個說法是「全神貫注」。全神貫注是許多東方傳統思想，特別是佛教的核心概念。簡言之，就是將全副心神貫注在眼前手邊的事物上，讓心靈毫無雜念地去體驗當下。

投入每一瞬間

全神貫注使你完全投入那一瞬間，它能把每一個尋常的經驗——如散步、哄孩子入睡、擁抱伴侶、甚至單純的開車，轉變成一個個真實的剎那。當你全神貫注，就能毫無遺漏地去感受自己當下所處的環境和正在做的事，而不是麻木地讓眼前這介於過去和未來的瞬間，成爲又一個即將逝去、將會遺忘的時刻。稍後，我會在書裡提供一些能幫助我們活得更全神貫注的方法。

全神貫注的相反是麻木，沒有思考、沒有感覺、機械化、無意識地活著。我相信，我們自己和周遭親友的許多痛苦，其實是肇因於我們的麻木：

- 因爲麻木，你才可能維持著一段對你毫無益處、甚至可能有害的關係，而且全然

無視於自己的悲慘不幸。

●因爲麻木，你才會長年累月忽略身體對你發出的警訊，忽視它的慢性消化不良或胃潰瘍，只曉得猛吞胃乳片，直到多年後醫生對你說你已病入膏肓，才懊悔不已。

●因爲麻木，你才會抽菸、喝酒或吸毒，無視於自己的日夜咳嗽、情緒不穩、精神時好時壞，不知道自己是在慢性自殺和傷害所有愛你的人。

●因爲麻木，你才可能明知身處於不公平的境遇中，卻仍默默承受，毫不反抗。

太多時候，我們大多數人都受困於這個不健康的習慣；而一旦麻木地過日子，我們便錯過了所有真實的剎那。心理學教授藍爵（Ellen Langer）寫過關於麻木的書，他說麻木生活和行動的人，一不小心就會墮入行屍走肉的泥沼裡。我們順著時間走下去，眼光卻不看著當下，只著意於未來，之後則懷疑，爲什麼不曾走到任何能給自己有持久成就感的標的。

若想擁有每一個真實的剎那，
就要用心迎接生命爲你展現的每一刻，
全心全意活在當下，
放開心胸去充分感受，盡情展現生機。

為未來而活

在美國要過得麻木很容易，因爲美國人的生活方式就是「爲更美好的明天而活、而夢想」。美國向來是逐夢者聚集的地方，他們從世界各地移民來這裡，被鼓舞著去懷抱更大的夢想。問題是，整個二十世紀的後半段，我們都在爲明天而活，對當下所付出的時間則少之又少。我們爲未來計畫、爲未來擔憂，然後不知不覺中，當生命走到了盡頭才醒悟：我們一心一意計較已發生或希望到來的事，卻忘了享受當下的每一個片刻；我們都變成「爲生活做準備」的專家，同時也變成「現在就充分享受活著」的低能兒；我們爲事業做準備、爲休假做準備、爲週末做準備、爲退休做準備——總括起來，我們其實是在爲生命終了做準備。

如此擅長於爲未來而活，問題就出在我們已養成了不活在當下的習慣，於是當那些期待已久的美好事物真正來臨——假期、升遷、狂歡會……，我們已經不知道該怎麼去享受了。面對這些引頸企盼了好久的美事，我們依舊匆忙走過，彷佛只是又一樁麻煩事，我們迫不及待要把它解決掉，但事過境遷，又想不透自己爲什麼還覺得失落、覺得不滿足。

最近有一位好友結婚。她花了一整年時間來籌備她的婚禮——那的確是一場別致、

出色的婚禮。第二天早上，出發去蜜月旅行之前，她從機場打電話來。我問她是否滿意這場婚禮，她竟表示她感到異常空虛。「我幾乎想不起來婚禮的樣子，」她的聲音裡透露著失望，「好像迷迷糊糊地就過去了。」

我這位好友的經驗並不特別：當我們將生命耗費在爲未來做準備，而非享受眼前時光，我們便把快樂也給延誤了。我們失去了欣賞和領受快樂的能力，一旦真有機會體會真實剎那，就只能和它們擦身而過了。

在美國，我們活在一個只重行動、不重實質的文化裡，這也就難怪我們如此拙於創造真實剎那，更遑論能在每一個當下怡然自得。我們一向重量不重質，只在乎不斷的活動所帶來的刺激，對實質問題則不聞不問。我們常以外在的成就來論斷別人或自己，卻忘記自己在本質上究竟是個什麼樣的人。我們是一羣興風作浪的行動者、成就狂，一如塔希（Nina Tassi）在《嗜快成癮》（*Urgency Addiction*）書中所描寫的「一羣速度崇拜者」：「愈大愈好……」「任你吃到飽……」「買一送一……」「一樣價錢買得更多……」「史無前例的速度感……」「最新、最先進的……」——這就是美國精神。

錯用「消費意識」

二次世界大戰以來，我們進入了一個瘋狂的消費主義時代。我們要儘可能地多，且

儘可能地快速，消費和業績成爲我們的快樂之鑰。我們對自己說：只要有汽車、房子、彩色電視和一個好工作，我們就算過關了；如果我的這些東西能比隔壁那傢伙的更新、更好，或能謀到一個名號更響的差事，可就成就傲人了。我們的英雄是那些擁有最多的人，所有的目光都凝聚在事物上，人生的目標不再是生活，而是「擁有」和「完成」。

無可避免地，「消費意識」把我們通通變成了延誤快樂的高手。延誤快樂的意思就是：相信「爲了要快樂，必得要有某些先決條件才行」；你想像自己：「等到……之後，我一定會很快樂。」

我們相信在擁有某種經驗、或某種財富、或某種地位之後，我們就會快樂，而在這之前，快樂是不可能的。因此我們努力工作，或任時間流逝，然後終有一天，我們所期待的快樂源頭就會降臨。我們完成學業、減肥、創業或買房子，然後欣喜地等待快樂的到來——同時大失所望；我們或許會覺得滿足，卻不快樂。

這樣的過程會一而再、再而三地重覆。「沒錯，我知道我曾說只要當上經理，我一定會很快樂；可是我現在才發現，真正能讓我快樂的，是當老闆。」於是我們再一次把快樂順延到下個目標上。

時不我予

就像吸毒一樣，總是需要愈來愈重的劑量，才能達到興奮效果，最後終有一天，你再也離不開它。我們之中，一定有很多人已經步上了這條路。我們買了車子和房子，我們投身工作，並且正一步步爬上了成功的階梯，我們努力供給小孩那些我們不曾有過的一切享受。我們得到很多想要的東西，也當上了我們從前所欣羨的成功人物；但是漸漸地，我們開始懷疑，好像有什麼地方出了差錯。不停追求的那些夢想，已經把我們帶進了一個心靈和情感的死胡同：這一路上，我們拿出所有真實的剎那來換得財富、換取目標的達成，但是，我們換不到快樂。

而更可怕的是，在這過程中，我們的生命已悄然飛逝了。每個週末，我們奇怪一個星期又跑哪兒去了；每個除夕夜，我們感歎怎麼一年又不見了；早上醒來，赫然發現自己已經三十歲、四十歲或更老了，卻怎麼也想不起來，時間是怎麼流逝的！我們看著孩

當我們將生命耗費在為未來做準備，
而非享受眼前時光，
我們失去了欣賞和領受快樂的能力，
與每一個真實剎那擦身而過。

子畢業、有了自己的家，但總覺得搖他們入睡、教他們綁鞋帶，都彷彿是昨天的事。

我們不能教時間慢下來，從呱呱墜地的那一刻起，我們就向死亡的那一端邁進、一點一點地在變老；但是我相信，一旦我們能更全心全意地體驗生命的每一刻，就會覺得時間過得更有意義。

最長的四十秒

你的一生中，可能也有過這樣的經驗：明明是稍縱即逝的剎那，卻覺得有好幾個鐘頭那麼長；明明才幾個星期，卻像是過了幾個月；才幾個月，卻好像已經過了一輩子。通常在這種時候，你完全專注於當時的情境：分娩的時候、自己或家人在病床上等檢驗報告出來的時候、和心上人第一次親吻擁抱的時候、整晚盯著電話等男朋友爲昨天的爭吵道歉的時候；在這樣的情形下，時間的腳步似乎慢了下來，儘管你的理智告訴你，這一天、這個夜晚絕對跟其他任何時候一樣，你還是會發誓：感覺起來起碼有兩倍那麼長。那是因爲當時你的人、你的心、你的感情已經完完全全地投注在每一個瞬間了。

一九九四年一月十七日凌晨四點三十一分，我和上百萬的南加州人，一起經歷了一場美國歷史上數一數二的大地震。我永遠不會忘記那種恐怖的感覺：我們夫妻倆只能死命地攀在床邊，在寒冷的黑夜裡，周遭的一切給震得地動山搖、隆隆作響，而聽起來就

像是世界末日到了！我們死定了！

謝天謝地，我們沒死。之後的幾個小時，我們縮在衣帽間的地板上，等著餘震過去。我們簡直不能相信收音機裡傳來的消息：所有報導都說主震大約持續了四十秒。「不可能！」我和丈夫相互叫著：「至少有三分鐘！」我們覺得新聞報導都錯了；可是他們沒錯！後來的幾天，我和很多朋友鄰居談起那次地震，也聽了許多收音機和電視裡的報導評論，沒有一個人覺得這個地震只有四十秒。他們都和我們一樣，一口咬定地震持續了好幾分鐘。當然，我們都錯了。我們經驗到的是，我們一生中最長的四十秒。

毋庸置疑，那次地震是我有生以來最恐怖的經驗。它絕對夠資格成爲一個真實的剎那，儘管我絕不希望常常遇上！然而，和所有真實的剎那一樣，它賜給了我們許多美好的禮物——知道了什麼是生命中最重要的東西，使夫妻間變得更親密，家人關係更接近，朋友和陌生人之間也增添了真誠的關懷和親切感。經歷過這樣震撼的時刻，我們的心被震開了，我們的靈魂被震醒了。因爲我們被迫放慢了腳步，在地震當天的每一分鐘和往後的幾天裡，一心一意面對遭遇到的一切，結果，我們感受到了更多的愛。

我的尋樂之路

打我有記憶以來，我就是一個探索者。凡認識我的人從不會形容我是個無憂無慮、

天真快樂的小女孩。我父母的婚姻並不愉快，從孩提時代，我就想爲母親眼中的憂鬱、父親心中的迷惑和我自己的痛苦找尋答案。最教我小學老師訝異的，是我三年級時第一次寫詩時，問道：世上爲什麼會有這麼多不快樂？我迫切地想要知道人生的意義，找不到答案讓我異常失落。

十八歲離家後，我認真地踏上了尋找真理之路。我找到了一個心靈上的導師，跟著他開始學習靜坐，經常閉關靜修好幾個月，希望能從方寸之地，找到我所企求的寧靜和智慧。我一直專注在自己的內心世界裡，數年後，我知道是時候了——我該回到外面的世界，去找尋我生而爲人的目的。然後我回到學校去修完學位，開始致力研究我最關心的——愛、關係、生活的過程。

我爲十八位最要好的朋友在家裡的客廳開了第一次的工作坊。我並不打算出名，也沒打算主持電視節目、廣播節目，甚或出書，我只是將我的所學和我摯愛的友人分享。所以當第二次工作坊來了三十五個人、第三次來的人更多時，我真是嚇了一大跳。不過很快地，我該走的路愈來愈清楚地展現在眼前，我也迎了上去。我很慶幸上天賜給我與人溝通的能力，使我能提醒他們和我自己，愛是多麼的重要。

決定當老師之後，我就立誓要竭盡所能，影響更多的人。我並沒有在一夜之間成功，我也不曾這樣奢望。在我的一生中，所有的事都得來不易，我總是必須先有所栽，

才會有所穫，我的事業也不例外。

回顧過去，有兩個原因可以解釋，為什麼我凡事都必定全力以赴。其一，小時候，我多數朋友的家裡都比我家有錢。我家的房子是我所有死黨裡最小的；穿的衣服都是從折扣店買來、標籤被剪掉的瑕疵品。真正需要的用品，我不曾缺少，但也從未嘗過「擁有好多、好多我想要的東西」的滋味。也就是說，如果我得到了什麼東西，那一定是因為我努力付出過；其二，我決定更努力的原因可能是，我覺得自己的長相不太有魅力。你想像一個乾乾瘦瘦又嚴肅兮兮的小女孩，膚色蒼白、綁著髮帶、臉上架著一副醜醜的眼鏡，那就是我的樣子了。我知道我不太可能憑外貌讓任何人對我留下好印象，所以我只能以才智取勝。即使多年以後，我換上了隱形眼鏡、學會了打理頭髮，也注意到有男孩子覺得我還有點吸引力，我仍然不認為自己長得好看。

所以在我的事業剛起步時，我不停地工作、不停地打拚，忙得根本沒注意到自己已頗有名氣了。直到幾年前的一次因緣，才使我開始重新規畫自己的生命方向。當時我在電視台主持一個每天播出的節目，那天我和一個外地來的朋友一起開車去電視台，才一進攝影棚停車場，她就看到有一堆「影迷」在等著我簽名，她忽然咧嘴大笑：「芭芭拉，妳真的夢想成真了。」之後，她語帶關愛和讚歎地說：「妳一定很快樂！」

願望多，快樂少

聽到這句話時，我的心裡好像有一道窗簾忽地被掀開了。煞時，我看到自己的的確確完成了許多長久以來的夢想：我現在住的房子，比任何一個小時候玩伴住的房子都來得好；我有能力爲自己買所有小時候買不起的東西；我可以送我媽媽到任何地方去旅遊，那是從前她拉拔我的時候不可能負擔得起的；我終於找到一個不論我多醜（即使是戴著眼鏡、紮著馬尾）都會愛我的男人。然後看看現在，我正開著車子去錄我的電視節目呢！可是檢視內心深處，我看到一件可怕的事實——我不快樂。我很得意，我很滿足，可是我不快樂。

聽了朋友說了那句話，那天我滿腦子想的只有這件事：我想不通「怎麼會這樣？」我深信自己工作的價值，我也知道很多人的生活因此改觀，我絕對以自己的工作成就爲榮；我的婚姻美好而甜蜜，我的健康狀況良好，這一切爲什麼還不能使我快樂？爲什麼還不夠？到底還漏掉了什麼？

隨著時間流逝，我漸漸看到了真相。我不快樂是因爲我不曾讓自己體驗許許多多真實的片刻，那些無所爲而爲的片刻，那些不爲工作目標忙碌的片刻，那些我簡簡單單就是待在個什麼地方的片刻。我擅長行動，卻對如何單純地活著極不在行。這麼多年來，

我滿心相信：只要能達成願望，我一定會很快樂。如今，我擁有了從前想望的東西，但也明白：就算獲得更多，我也不會快樂；如果我現在覺得不夠，那麼永遠也不會夠。

我決定牢牢記住這個領悟，我把它寫在一張小卡片上，擺在我的鏡子前，每天早上讀它一遍：

什麼時候我才會覺得夠了？
夠了之後要做什麼？

拿這幾個大問題問問自己——如果你此刻覺得不夠，什麼時候才會夠？在那之前，你得再賺多少錢、再累積多少成就？然後你要做什麼？你的生命會呈現出什麼樣的面貌？有人告訴我，他們僅僅對自己提了這幾個問題，就開始了一段長達數星期之久的自我探索歷程。

滿意不等於快樂

因爲我回答過這些問題，所以現在我知道：我可以再出一打更暢銷的書，再上千百次電視節目；或者，如果我有小孩，我當個全職媽媽，會教養出完美無缺的孩子；如果

我從商，我會有本事買下任何我要的公司。但是，沒有一件事能教我快樂；這些最多能讓我滿足、令我得意，卻不能帶給我快樂。

快樂與滿意的差別在哪裡？滿意基本上是一種精神上的滿足，它代表完成了某件你有所爲而爲的事——一項計畫、一次交談、一頓美食。比如，新書的進度又完成了一章，我會覺得很滿意；發表了一場演說而且頗獲好評，我會覺得很滿意；把櫃子清理乾淨，我也會覺得很滿意；總之就是有某件事情完成了。

快樂則是比較傾向情緒方面的滿足。當我在某本書的某一章裡，寫出了自己都歎爲觀止的字句，我會覺得很快樂；演講後，有人前來和我分享感觸，我感同身受，會覺得很快樂；我望著衣櫥裡的某件衣服，回想起曾經穿著它度過的一個有趣的夜晚，我會覺得很快樂。

我記得我的第三本書剛剛上《紐約時報》暢銷書排行榜第一名的那天，我的經紀人一早就打電話來告訴我這個好消息，我當然很興奮。那本書我寫得很認真，它能有好成績，我當然覺得滿足又得意。那天晚上傑佛瑞下班回來，我們一起躺在床上，他把我攬入懷中，撫摸著我的頭髮，告訴我他多麼以我爲榮，因爲我爲這本書付出了這麼多，因爲我這麼辛苦到各地去促銷，因爲我這麼聰明慧黠……，我熱淚盈眶地接受他的愛。那一刻，並非之前，我好快樂。那相愛的一刻正是真實的剎那。

我們都做過讓自己很滿意的事情。然而不論我們再做多少，再體驗多少的心滿意足，我們都需要學會創造真實的剎那，才能擁有真正的快樂。

快樂的唯一源頭，是擁有許多生命中真實的剎那。

快樂的源頭

快樂只存在每一個剎那的當下，也只在當下可得。快樂降臨的那一剎那，絕不會是我們存心去尋找快樂的時候，因爲一旦存心追索，我們的心就已不在「此時此地」，而是到「別處」去了。如果我們能讓自己回到現在，全神貫注於手邊的事物，快樂便會不求自來。

「快樂」（happiness）這個字源自古英語裡的「hap」，意指機會或運氣（不論好壞）——意思就是人的遭遇（happens）。換句話說，照字源上的解釋，「快樂」應該是「所有當下遭遇的經驗」。所以儘管我們會說：「我要快樂起來」，基本上我們已經把自己投射到未來去了；而快樂，依定義，是只存於當下的這一刻。

世界聞名的越南禪學大師一行禪師（Thich Nhat Hanh），寫過一本深具啓發的書《一步一蓮花》（*Peace Is Every Step*），他在書中寫道：

生命的意義只能從當下去尋找。逝者已矣，來者不可追，如果我們不反求當下，就永遠探觸不到生命的脈動。

如果你不知道珍視現有的一切和現在的自己，無法從中得到快樂，那麼即便將來擁有了更多，你也不會快樂；要是你不懂得怎樣充分享受手上的五百元，就算有了五千、甚至五百萬，你也還是無法享受；和你的另一半在家附近散散步，要是你不能從中得到樂趣，就算去夏威夷、去巴黎也沒用。我並不是說多點錢、多點休閒活動，不能教生活更舒適；事實上，生活是會因此舒適些，但你卻不會因此而快樂，因爲錢和休閒活動本來就沒這功效。只有你自己，藉著學習活在當下，與時偕行，才能讓自己快樂。

想像一下，你的心願是要成爲一位小提琴演奏家，有人給了你一把老舊的破琴練習。你當然想有一把「史特德瓦瑞斯」（Stradivarius）提琴，那可是全世界公認的頂尖好琴，可惜你沒有，只好夜以繼日不停地練習，傾注全付精神和心力在那把劣等的琴上，演奏出最美妙的樂聲。有一天，來了位慈善家，送了一把你夢寐以求的「史特德瓦瑞斯」小提琴；你以顫抖的手接過了琴，然後開始演奏，你奏得是優美動聽極了。動聽的原因可不是那把價值二十五萬美元的名琴，而在於你已練就了小提琴家所須具備的精湛技巧。

要是你沒有學會駕馭那把二手的舊琴，你就不會有能力去拉「史特德瓦瑞斯」提琴。假如你不學著享受你已擁有的一切，那麼擁有再多，也不能帶給你快樂。

「孩子們將為你帶路……」

別害怕這些道理聽起來太深奧、太抽象，似乎連聽都聽不懂，更遑論照著去做，我可要提醒你：你也曾是個快樂的高手——在你還是個孩子的時候。兒童是創造真實剎那的專家，他們還沒有學會按捺住心中的歡欣，所以可以盡情盡興！這也是使每個孩子看起來都如此不可思議的原因。他們完全投入「此時此刻」，完完整整地活在當下，不論白天或晚上都充滿了歡樂和笑聲。這並不只是因爲他們沒有工作要做，沒有帳單要付，沒有責任要扛——或許他們的優先順序是不太一樣，可是他們遊戲時的專注和全力以赴，比起我們大人工作時的幹勁，可一點都不遜色。他們有本事從每一口食物、每一朵花、每一片雲、每一個經驗裡，探索、品嘗純然的驚喜，有這分能耐就能夠教他們心滿

生命的意義只能從當下去尋找。
逝者已矣，來者不可追，
如果我們不反求當下，
就永遠探觸不到生命的脈動。

意足。

抉擇學院（Option Institute）的創辦人之一柯福曼（Barry Neil Kaufman）有一句精采的名言：「我們的憂患並非與生俱來，而是學而時習之。」意思是我們還保有「放心於當下」的本能，我們可以戒掉麻木的習慣，開始全神貫注去品嘗每一分活著的滋味。我相信孩子是上天賜給我們的導師，看到他們那麼傾全力去感覺、去經歷，我們應該記住：他們正爲我們示範心靈上的奧妙巧思！是孩子們！是他們爲我們指引出一條能尋回喜悅、找到自己真實刹那的必經之路。如同聖經上所說：「除非你能像孩子們那樣，否則你不能進天國。」

不要不停地找事做

剛開始學著在生活裡創造真實的刹那並不容易，最大的障礙是我習慣了不停地找事做，這一點到現在還常困擾著我。幾年前，我先生傑佛瑞和我去了一趟紐約，除了辦些公事，也順便去玩，那大約是我剛剛發現自己很難去經驗真實刹那的時候。星期五早上，我們倆紅著雙眼抵達紐約。一到旅館，我立刻開始向幾家餐館預訂週末的位子，然後趕快翻開報紙，找各式各樣我們喜歡的活動。傑佛瑞好像被我弄得有點煩，但我想他只是累了。我們到街上去逛了一會兒，就回旅館準備吃晚餐。我才拿出我的計畫表，準

備和他一起敲定行程，他竟然事不關己似地冷冷看著我，我嚇了一跳。

「怎麼了，親愛的？」我問。

「沒什麼，我只是有點氣你。」

「爲什麼，我做錯了什麼？」我立刻自我防衛起來。

「我也不知道，妳好像神經病一樣不停地計畫、不停地列表。妳就不能輕鬆一下，不要老想去控制每一件事嗎？」

一聽到「控制」這個最教我敏感的字眼，我的火氣立刻衝了上來。

「我沒有要控制每一件事，我只是想確定我們會玩得很高興！」我大聲嚷著。

「唉！妳只要別這想這麼多，芭芭拉，說不定妳就會有個愉快的假期。」

我開始從心底深處哽咽了起來。他是對的，我一直很努力，努力玩得開心，努力把每件事都安排到最完美，努力要讓他快樂……。我這一生都在努力掌控身邊每一件事情的結果，盡全力去完成每一個目標，我打心眼裡相信，努力得愈多，快樂就會愈多。現在我卻要面對一項事實：我的努力其實正是我享受喜悅的最重要阻力，荒謬的是，喜悅卻是多年來我拚了命想得到的東西。我哭了，那一刻我才知道，原來我不知道如何去不努力。

傑佛瑞過來摟著我，我嗚咽著道：「我好害怕我一不努力，就會失掉什麼東西。」

我永遠不會忘記他接著說的話：

「如果一直這麼努力，你就會失去所有的東西了……。」

傑佛瑞話中的道理直指我心。當他抱著我，替我擦掉臉上的淚水，我知道我該從頭去學怎樣去過日子了。這一生引領我走到這裡，讓我擁有眼前成就的，是行動的力量：去鞭策、去奮鬥、去開創。這不是一種壞的力量──我能擁有現在的一切，這股力量功不可沒；但我需要另一種全新的力量，帶領我去圓成人生的另一個層次，那是一種我不擅長、所知也不多的技巧，那是單純地活著的力量。

那晚在紐約，我那練達心細的丈夫所一眼看穿的，就是我活到現在最慣常用的方式，此刻那竟成了我的絆腳石──我愈是努力去做些什麼來求得快樂，結果是愈不快樂，他當然也就跟著不快樂！

傑佛瑞的一席話醍醐灌頂，那晚我寫下了這個故事：

「攀湖」的女人

從前有個女子去爬一座很高、很高的山。開始爬的時候，她只是個小女孩，對爬山之前的一切都已不復記憶。年復一年，她在嚴峻的峭壁上愈攀愈高，漸漸地，她的攀爬動作十分精熟，她鍛鍊出強壯的腿肌和腰力。不久之後，爬山對她來說，簡直就像呼吸

一樣自然了。日子一天天過去，她也一點點向上移動，後來甚至不必再費勁，她的身體自然而然就會往上爬。

終於有一天，這個女子登上了最高峯，她為自己的成就高興極了，她迫不及待地要開始下一段人生的旅程，去征服另一座高峯。當她往地平線上極目望去，她看見一個藍得好美的湖，湖面延伸到視線的盡頭。她爬了一輩子的山，從不曾離開過山，所以也不曾見過湖，事實上，她根本不知道什麼是湖。她看著眼前這片陌生的、一望無際的水，得到一個結論，這一定是一種很特別的藍色的山。看來要繼續往後的旅程，唯有先跨過這個外形奇怪的藍山，她決定勇往直前。

於是山上的女子來到了水邊，開始用她最熟練的動作，嘗試要「攀過這個湖」。一開始，她弄不懂為什麼會毫無進展，而且還把自己累得半死，只好再次集中全身的力量，更用力地「爬」，前腳接後腳，一步又一步，兩手還拚命想去抓住那些「藍色的岩石」，但終究是白費力氣。她不停地往下沉，卻一寸也前進不了。

山裡來的女子幾乎想放棄了，就在這個時候，她看到有個男子浮在湖面上，雙手和雙腳輕柔地動著，整個人便能在水上優雅地向前滑行。

「妳在做什麼啊，朋友?」他向她喊道。

「你看我像在做什麼?」她滿臉尷尬地回答：「我想攀過這個湖。」

「我的小姐呀！」湖裡的男人答道，「妳難道不知道湖是不可能攀過去的嗎？在水裡移動的唯一辦法是游泳。」

「可是我是最棒的登山好手啊！」這位爬山女高手堅持說：「我一輩子都在學爬山，我可以登上任何一座山，可以征服任何一個高峯。我一定也有辦法攀過這個湖。」

「我很肯定妳是個優秀的登山好手，」湖裡的男子很禮貌地對她說：「可惜爬山的技巧在水裡完全用不上。妳必須比山更強韌，妳才能征服山——這是妳登上峯頂所需要的智慧。如今妳想越過這個湖，妳需要的卻是一套截然不同的技巧，妳得重新學起——完全向水的力量投降，讓它強過妳，妳不必再去用力。事實上，妳愈不刻意用力，妳會游得愈好。」

就這樣，湖裡的男子開始教山裡的女子游泳。最初，她在水裡又踢又打，弄得水花四起，因為她太習慣登山時的使力動作了。不過她的老師很有耐性，她慢慢地學會浮在水上了，讓微風和波浪輕輕地帶她向前，直到她終於徹底放鬆，不再使勁。

山裡的女子由此領會：全然放鬆竟和奮力向前一樣有力。

在我們學習去體驗更多真實剎那的過程中，我們必須去熟悉另一些與已往慣用的「列表」、「設定目標」等生活方式大不相同的技巧；湖是不能用「攀」的。接下來，我要提供一些隨時隨地創造真實剎那的方法。

什麼是真實的剎那？

什麼是真實的剎那？你如何知道你已經擁有它？要出現真實剎那必須具備三個經驗要素：

●**意識**

真實剎那只出現在你有意識地全神貫注於身所處、手所做和心所感的時候。因爲你用心，所以能看見許多平常不用心時所看不見的事物。用心時，意識裡除了此刻的體會，一無長物。

●**聯繫**

真實剎那只出現在你與某人或與某物靈犀相通的時候。這分聯繫可能發生在你和所愛的人、和某個陌生人、和你正靠著的那棵樹或和上帝之間。有了這分聯繫，真實的剎那出現時，平日區隔我們的界線會泯除，神奇的事物會發生。

我們稱這疆界線消融的經驗爲「愛」。因爲愛，你泥中會有我，我泥中會有你。

●**徹底交出自己**

真實剎那只出現在你把自己徹底投入正在經驗的事物，並且完全放棄掌控的時刻。你百分之百專注於正在做的事，不論是散步、做愛、烤麵包或是看著孩子們遊戲。你全

心擁抱此刻的經驗，而不是抗拒。

當你想控制或抗拒某個情況或某種情緒，便不可能擁有真實的剎那。

如果我能爲你列出一個擁有真實剎那的公式，這公式大概會像這樣：

全神貫注在當下的經驗或感覺；

打破個別分開的幻象，和你面對的人、事、物充分聯繫交流；

然後，將自己全然投注於心靈的交流中。

現在，你應該正在享受真實的剎那了；

真實剎那在你日常生活裡俯拾皆是……。

我弟弟是個風帆好手，他感受過許多挺立風帆板上破浪而去的真實剎那。那些片刻中，他覺得自己和手上的帆、腳下的浪板、甚至四周的海水已融爲一體。他把自己完全交付給風的吹拂和迎面的浪花，與海爲伍，他覺得充滿了生機，無限地滿足……。

我母親則是在花園裡享受到她的真實剎那。她對每一株新栽的花、每一寸待整的地、每一片摘下的枯葉都傾注全部的心意，她和一株株賴她以得營養、賴她以綻放的七彩小生命相契、相通。她渾然忘我於指間的泥沙、溼土的香氣，和感覺大地藉由她的手帶來新生的甜蜜歡欣。

我帶我的小狗，也是我最要好的朋友碧珠一起散步的時光，是我擁有真實剎那的時候。跟在牠毛絨絨的小身體後面，我會變得對路邊的花草樹木或任何一點小聲響都非常敏銳；我會與牠輕鬆的節奏氣息相通，感受到牠的律動，牠的需求於是變成我的需求；我的心神完全投注在散步之中，不去哪裡也不做什麼。碧珠提醒了我：或許人生的意義，不過是嗅嗅身旁每一朵綺麗的花兒，享受一路走來的點點滴滴。

最近我收到一張問候卡，我願意和一起你們分享裡頭的話：

昨日已成歷史；
明日還未可知。
此刻是上天的賜與（gift），
所以我們稱它做「現在」（the present）＊。

真實剎那只出現在你有意識地
全神貫注於身所處、手所做和心所感的時候。
而唯有全神貫注於那一時刻，
你方能得到那一時刻所帶來的賜與、啓示或喜悅。

＊編按：英文present具雙重意義，可指此時此刻的現在，亦指禮物或贈與物。

第二章

世紀末的不安

生命中一定有比「擁有一切」更豐富的內涵。

——美國童話作家及插畫家森達克（Maurice Sendak）

我們是如何失去經驗真實剎那的能力？有時打從心底不知名角落湧上的焦躁不安，到底是從何而來？爲什麼要追求心靈的滿足總是那麼困難？要找到這些問題的答案，要正確地展開我們的探尋之旅，得先從過去看起。

讓我們假想你是一個來自十八世紀的時光遊俠。你將時光機器上的指針撥向未來，按下按鈕。當機器停止，你看看時鐘，發現自己已神奇地降落在二十世紀的尾聲。

你踏出時光機器，迎接你的是一九九〇年代中期的美國。你最先注意到的改變是科技方面的突飛猛進——汽車、飛機、電視、傳真機、洗碗機、電腦，這些在你眼裡都像奇蹟。你不禁讚歎：「這兒的生活和我們那時候比起來，真是舒服太多了！」

急躁而漠然

但是當你走近你二十世紀的親戚身旁，你注意到很多讓你困惑的事情。首先，人們不像在十八世紀的家裡那樣親切、愉快。他們彼此不打招呼，只匆匆擦肩而過，臉上的表情彷彿是有什麼急事正要奔赴。你忍不住問一位路人：「發生了什麼可怕的事嗎？」他粗魯地搖搖頭就轉身走了，只留下你還在兀自納悶：怎麼每個人都這麼急躁而且漠不相干似的？

接著你看到街上和公園裡，到處都是難民模樣的人，他們臉上帶著又餓又怕的表

情，有大人，也有小孩，看來連睡覺的地方都沒有。你猜想他們必是最近一次戰役的降兵，他們的家鄉一定是在很遠的地方，直到你聽到他們說得一口道地的英語，才發現自己錯了。「怎麼這麼多美國人無家可歸，住在街上？」你簡直不敢相信：「而且爲什麼大家都像沒看見他們似的？」

可是當你開始看到報紙、雜誌，看到人們稱爲「魔術盒子」的電視，你才真正開始擔心，因爲從報章、雜誌和電視，你聽到、看到：

- 根據今天公布的最新統計資料顯示，去年一年裡，有兩百七十萬個兒童受到虐待或疏於照顧。
- 最新的調查發現，有四三%的人若不是有酗酒的父母，就是有酗酒的配偶。
- 警方估計，在美國，每六分鐘就有一位婦女被強暴，同時有四分之三的婦女是暴力犯罪事件的受害者。
- 大部分殺人案的兇手都是被害人的愛人或親戚，而不是陌生人。
- 新的研究顯示，大約每兩對夫妻就有一對會離婚；而不忠於婚姻的人，尤其是女性，有愈來愈多的趨勢。
- 政府方面指出，打擊犯罪的工作節節敗退，政府並提議大量興建監獄，以容納愈

來愈多的罪犯。

●今天又有一起街頭槍擊事件，發生在中西部一個寧靜的小鎮。有三人死亡，四人受傷。根據目擊者指出，嫌犯並不認識被害人，唯一的殺人動機是：他們忽然覺得很想「幹掉一些傢伙」。

你被這些報導嚇壞了。隨時引發的暴力，父母毆打和誘姦自己的小孩，兒童謀殺兒童，數以百萬計的男女用藥物和酒精荼毒自己的生命，破碎的家庭，露宿街頭的人，還有恐懼，無所不在的恐懼……。「美國到底怎麼了？」你難以置信地大叫：「這個社會怎麼會變成這樣自我毀滅？我們過去對美好未來的期待，都到哪兒去了？我們對富庶和平國家的夢想，到哪兒去了？」

你衝回時光機器裡，把指針撥回你來的年代，你祈禱自己不會來不及回去，然後你爲自己的子孫掉下了眼淚，因爲有一天，他們要降生在這樣一個失落了靈魂的文明裡。

險狀百出

現在我們正站在二十一世紀的門檻上，而我們的社會所展現出來的各種朕兆在在顯示，她正處於一個感情和心靈都危機四伏的階段。美國到底怎麼了？我們的社會已經失

衡到險狀百出的地步了：

●我們所享受的物質生活遠比歷史上任何一個文明都舒適，卻同時也有更多的跡象顯示，我們並不快樂。簡單舉幾個例子，犯罪、虐待、離婚、毒癮，都比過去任何一個時代猖獗，而且情況一年壞似一年。

●我們藉以控制這世界的科技能力，還在以驚人的速度成長，然而怡然度日子的本事，卻似乎喪失殆盡。我們成長過程中以爲一定不虞匱乏的那些事，如今雖仍熱切想望，卻都已是遙不可及的夢想：相守一輩子的婚姻、守望相助如一家人的街坊鄰里、確信子女會過得比我們好……，還有或許是最重要的——寬裕的時間，散步的時間、沉默的時間、享受辛苦耕耘收成的時間、無所是事或全力以赴的時間。

結果是整個民族都在拚命地找尋人生的意義，不時險象環生，卻經常徒勞無功。我們這一輩中年人，小時候所熟悉的安全世界幻滅了，我們對愈來愈糟的治安問題失望不已；老一輩的人則緬懷既往，那時物質生活或許簡單許多，但精神生活卻肯定比較健全；而我們的孩子，他們將從我們手中接下這個洶湧狂亂的世界，恐懼、憤怒、消極譏諷、玩世不恭，外加不再純真，已然成爲他們的共同特質。

我們絕非一個「每天都更美好、更快樂」的社會，而那曾經是美國人的夢想。

現在還加上地球本身的危機：地震、颶風、大火、洪水、酷寒的長冬、不停的豪

雨，我們國家的軀幹已失去平衡了。當然，科學家對這些現象自會有一套合理的解釋，但如果你願意傾聽，你會聽到大地之母正對我們哭喊求助。

有些人對這些現象已經太過熟悉，因而變得麻木不仁。就像我們那位時光遊俠朋友一樣，你讀到了報上的統計數字，你看了電視的新聞報導，你或你所愛的人可能已經察覺到暴力、虐待、毒癮、離婚或失業的陰影正逐漸籠罩。你知道我們的世界已不再是過去那個一片祥和、充滿希望的世界。可是，就像我，就像我們每一個人一樣，你只是轉過身去，披上一層用「麻木」做成的防護衣，好讓自己平安度日，不致被絕望打倒。可就是這麻木，它阻絕了我們對真實剎那的體驗——偏偏這正是我們現在最迫切需要的。只有靠我們不麻木，不背過身去，現代人的感情和心靈才能得救。當然，故事總有另一面，我們的國家也有很多美好的事物、雄渾的關愛之音、求變的力量；但是不夠。我們的國家有難，我們這個民族也有難；首當其衝的是，你自身的幸福和你子孫的幸福。我們個人無法獨力挽救整個社會的沉痾，但是我們能貢獻更多的慈悲、關愛以及對自身及周遭環境的醒覺，一切將會由此而改觀。

此刻的我們，較歷史上任何一個時候，都需要更多生命中真實的剎那——對人類付出真誠關懷的剎那，與我們所愛和需要關愛者心靈交會的剎那，集中心志爲眾人療傷解困的剎那……；只是很諷刺地，此刻的我們也較歷史上任何一個時候，都更難擁有生命

中真實的剎那。在千年至福的極樂之境來臨之前，這是我們得面對的難題。

拓荒者的血液

我們究竟是如何把自己的國家從立國時代的前程似錦，弄到今日這番令人沮喪的局面？如果我們開始了解美國心靈危機的歷史根源，我們就能了解自身心靈的危機。

美國是一個充滿了拓荒精神的國家。我們的祖先大都是從世界各地離鄉背井，遠渡重洋來到這兒，歷經了無數精神上、肉體上和經濟上的各種磨難。我們的歷史是一部遷徙史，我們永遠會受到山外那片未知天地的蠱惑，永遠追求著更多、更好——多一點土地，多一點水，再富裕一點，再自由一點。

二十世紀初的時候，我們已來到疆界的極限：沒有更多的土地可以開發，沒有更新的城市可以建立，沒有更新的空間可以擴展了；不再有新的處女地，我們成了挫敗的拓荒者；但是我們停不下來，因爲這時我們已成爲「嗜新成癖」的人了。這是家族性的癖

麻木阻絕了我們體驗真實剎那的機會。
只有靠我們不麻木，
不背過身去，
現代人的感情和心靈才能得救。

好——從最先踏上這塊夢土的祖父母，甚至曾祖父母開始，一直傳到我們身上。它已根深柢固在我們的血液裡，我們無法自拔地要求更多、更好。

於是我們渴求的對象從土地轉移到事物上，我們開始無法抵擋科技和消費主義的誘惑；我們使所有事都辦得更快、更有效率，使所有的產品更大、更精良；我們爲如何生活、買些什麼、穿些什麼以及何謂流行，建立新規則；一旦沒多久厭倦了這一切，我們便立刻打破這才由我們設立的「傳統」，然後訂定更新的典範。

美國經濟得以起飛，靠的就是我們的喜新厭舊：老車即使還跑得很穩當，我們仍迫不及待要換新款；舊鞋即便還很好穿，我們也已等不及，要再買雙跟更高的或鞋頭形式不一樣的；老電視其實還挺好，我們卻按捺不住，要買一部有更好的遙控器和更多功能的新機種；我們摒棄所有老舊的東西，和所有的新東西一見鍾情。

「拜新主義」

追求進步是人類的本能。一個民族追尋並創造各種途徑以求更舒適的生活，原本並不稀奇，這是所有文明的必經之路。然而，我們追求新奇和進步的步伐愈來愈快，這是美國獨一無二的特色。我們當代文化一年內的轉變，遠超過歐洲或亞洲文化數十年的轉變；而每當其他國家發現美國又有了熱門的新花樣，他們常跟著競相丟棄古老的傳統，

張開雙臂擁抱新潮流。

就這樣，美國和她的「拜新主義」劇烈地改變了世界的面貌：藍色牛仔褲、T恤、網球運動鞋、電影明星、搖滾音樂和漢堡——統統成了我們的文化輸出品。你聽不到美國青少年唱德國或義大利的流行歌曲，你沒見到成千上萬的美國人擠著去看法國最新的賣座影片，你也看不到打上英文字幕的巴西電視節目，但是倒過來的情況，卻每天都在世界各地發生。

最近一次去峇里島，我和我先生目睹了一場火葬的儀式，對當地人來說，這是一個非常神聖而歡愉的場合。當三十個年輕的男子抬起放置死者的平台，我們驚訝地發現，他們身上穿的，竟多是印著美國搖滾樂團標誌或名字的T恤。峇里文化承襲自他們古老的傳統，至今仍占日常生活中極重要的部分；但不知怎地，珍珠果醬（Pearl Jam）、史密斯飛船（Aerosmith）一類的搖滾樂團，卻已悄悄地侵入峇里農家神聖的火葬典禮。

自我放縱的年代

戰後的嬰兒潮在六〇年代暫時脫離了物質主義，向所有既定的價值標準挑戰，奉行「隨遇而安、即時行樂」的人生哲學。然而才不過淺嘗了一下「今朝有酒今朝醉」，男

的已迫不及待換上了西裝、束起了長髮，女的則刮掉腿毛、戴上了胸罩。我們淘汰了舊的福斯車，換上嶄新發亮的本田和豐田車，我們的老爹老媽欣喜若狂地看著我們回過頭來向上一代看齊，滿腔熱情地回歸美國社會主流。

從六〇年代末期開始，直到七〇年代和八〇年代，消費主義瘋狂鼎沸。「要什麼，就可以有什麼」是我們的最高指導原則，而且我們深信不疑。我們向來是個醉心於自由思想的社會——我們很多人是這樣被吸引來的。如今，政治自由和宗教自由已經不能滿足我們，我們還要金融自由、性自由和情感自由；我們要儘可能地擁有一切、享受一切，儘可能地發掘自我。

做為消費者，我們不可能有買夠、投資夠或借夠了的時候。我們多幸運！科技進步的腳步也在這個時候達到顛峯，從電腦、傳真機到大哥大、雷射唱盤，新興工業羣起而生。我們準備拿什麼來買這些新玩意兒？那簡單！我們才裝了滿皮夾子的信用卡，還剛把房子拿去銀行做了二次抵押。政府不斷地印鈔票，我們就不斷地花。

在個人生活裡，我們熱中於打破舊框架，更勇於嘗試前所未有的個人自由，那分潛藏的拓荒精神在此表露無遺。「有話直說」和「各行其是」是我們的座右銘。在我們狂熱地推翻舊傳統時，開放式婚姻、露水姻緣和交換性伴侶也應運而生，而這分狂熱，曾使我們告別故鄉，奔向美國。

有些觀察家稱我們近代史上的這段時期為「自我放縱的年代」。我們希望更富有、做更多的事，活得更多采多姿；我們開始有了「自我成長」這個詞兒，還有成堆要幫助我們爬上最高峯的行業；我們可以加入健身俱樂部鍛鍊完美的身段，可以參加研討會或聽錄音帶以了解自己、激勵自己，可以讀很多書以保證我們每一件事都做得正確無誤。那些排行榜上的暢銷書，教我們如何享受更美好的性生活、如何做更稱職的父母、如何打得一手更精采的網球、如何成為更優秀的經理……，什麼都能更好。

我們做得愈多，就愈明白要出類拔萃絕非一夕可成。於是我們買來各式各樣的分類箱，研究如何管理時間，小心翼翼地為自己安排作息。即使是我們的孩子，也在體能訓練課、曲棍球練習和電腦教室之間忙得團團轉，他們也需要有兒童專用行事曆來記下所有活動的時間。

或許我們太專注在手上的新玩具和要完成的新目標，不知道油盡燈枯的徵候已悄悄浮現。一開始是很不起眼的徵候：我們會忽然想起，有好幾個星期不曾全家一起吃飯了；我們會看著日曆，發現完全沒有哪個空閒的日子或週末，可以讓我們什麼事都不做；還有，信用卡的帳單愈堆愈高了。可是，我們一直都很開心呀，要放慢腳步？想都甭想！

只是很明顯地，我們大部分人已經開心不起來了。為什麼？我們一直沒留意，如今

得爲自己的放縱付出代價了。天下沒有不散的筵席，我們的狂歡晚會也不例外。七〇年代和八〇年代的眩目與貪婪過去了，此刻擺在眼前的是社會、心靈和感情上的巨大耗損。今天美國所遭遇的危機，正反映出我們所共同經歷的——在政治、科技、經濟和社會各方面的同時變遷，而我們爲這些變遷所付出的代價，是折了翼的美國精神。

美國夢斷

就經濟上來說，八〇年代的後半，真相終於浮現了。我們享受過一段揮金如土的痛快時光，現在終於到了付帳的時候。你不必是財經專家，就知道這是什麼狀況——經濟蕭條、經濟不景氣、國家財政赤字，你怎麼說都可以，反正橫豎就是：我們全部都栽進經濟大危機裡，一個也跑不掉。

一部分的報應出現在失業問題上。失業並不是二十世紀才有的新現象，可是這回教我們害怕的，是失業的對象。怎麼也想不到自己會失業的人被資遣了——高層管理人員、專業技術人員、經理。

四、五十歲的中年男女還在應徵工作，或出現在臨時工介紹所，現在是很常見的事情。不少人在家裡三個孩子才十來歲大，要繳房屋貸款利息，還背了一屁股債的時候，才驚覺自己做了十年或十五年的差事，突然無法繼續了！這和二十瑯璫歲、一人吃飯全

家飽的時候鬧失業，不可同日而語。大部分男人到了中年，都會希望不必再靠死薪水過日子，不然就是盤算著早點退休，可以享受自己勞碌了一輩子的成果。如今卻只能禱告上蒼，讓他們可以有份工作做到退休。

對許多更年長一點的人來說，曾經璀璨的退休夢已經褪色了。隨著利率的直線滑落，老人們賴以度餘生的投資，愈來愈不值錢。數百萬六十歲以上的老人，曾爲退休後的「黃金歲月」仔細地打過算盤，他們每天工作十小時以爲將來的好日子做準備，如今卻發現不得不無限期地延後退休，才能掙得一口飯吃。

年輕人前途堪憂

我們的跛脚經濟，對待二十幾歲的這一代並沒有比較仁慈。以往年輕人上大學時，最先想到的就是，有大學文憑會比沒有大學文憑找到更好的工作，現在則是能有工作就算幸運的了！我們的社會出現了一個全新的次文化階層：一羣戴過學士帽、穿過碩士袍的外賣食品送貨員、餐廳跑堂和計程車司機。七〇年代的時候，大學畢業生還是全國主要企業爭相聘請的對象，這種前程似錦的感覺，現在已經被前途未卜的憂慮所取代。他們不再延續世世代代篤定的信念：自己會比父母生活得更好；相反地，嚴重的不確定感正籠罩在他們的心頭。

而我們這批嬰兒潮，如今也都有了自己的孩子，然而，卻面對令人喪氣的事實：將來我們的兒女很可能無法超越我們——事實上，如果能有和我們一樣的際遇，就算走運了。我們看著孩子們賣力地找工作，我們敞開家門，好讓他們為了省錢而搬回來。當我們眼睜睜看著他們為前途憂慮時，我們的心都痛了，記得在他們這個年紀的時候，我們堅信自己要什麼就能有什麼，誰也擋不住我們。

我們努力告訴自己：事情還不到最糟的時候，壞年頭總會這樣來來去去。可是當我們走出辦公室，徒步街頭，看到滿街的男女老少遊民，饑餓、絕望地縮擠在寒風中，他們是活生生的見證——我們生活的這個時代，真正是一個史無前例的時代啊！不錯，這些露宿街頭的人裡，有的是酒鬼或犯過罪的人，但也有不少是單親媽媽和失了業的飛機技師，或是因為父親丟了做了十五年的工作，家裡又沒積蓄，小孩只好沿街流浪。經濟危機的代價都刻畫在他們的臉上，它的意義不僅止於失去工作、失去家園、失去機會，而且是失去了美國之夢。

即使是我們這些有工作且還付得起帳單的人，生活品質也已大不如前，不如我們父母的那個年代，也不如我們預期想像。大部分家庭需要靠兩份收入來維持，意思就是兼職或全職上班的婦女比從前多。對這些職業婦女來說，和小孩或和配偶相處的時間、打理家務的時間、花在嗜好或其他興趣上的時間、甚至洗衣服的時間，沒有一樣能像從前

那樣從容，因爲我們都得忙著求生存。這股狂躁的行動旋風連小孩子也遭波及，他們受到大人的感染，看到做得愈多的人得到的也愈多，他們也學會了及早在幾個星期之前，就計畫好自己的活動日程。

心理學家羅斯門（John Rosemond）把這種現象稱爲「瘋狂家庭症候羣」。媽媽、爸爸和小孩全像賽跑似地，在約會、辦公室、學校、會議之間衝來衝去，偶爾會停下來吃點東西，不過也很少能一起吃。家，原本是我們忙碌生活中一個寧靜的殿堂，現在已經變成簡陋的休息站，一個供洗澡、睡覺、換衣服的地方，可以隨便抓到點吃的，然後趕快衝向下一個任務的地方。

科技衝擊心靈

如果說經濟上的災難已經讓我們的夢想失色，那麼科技的突飛猛進也一樣殘害了我們的心靈。說來諷刺，帶給我們這麼多方便和娛樂，能在各方面使我們生活更舒服的正是科技，但它同時也是造成我們心理上那麼多不舒服的根源，而這些心理上的疾病，很不幸地已經變成美國的標誌之一了。從這個觀點來看，電訊衛星其實是一種很可怕的武器，比任何一種恐怖的彈頭或飛彈，都具有更強大的殺傷力。

拜現代科技之賜，我們從工業時代來到了資訊時代。我們對高科技的生活方式已習

以爲常，鮮少警覺到科技對我們的影響。最近我在收音機裡聽到一位社會學家提出的一項驚人事實：經由衛星、電視和電腦，你我每天接收到的訊息量，是我們幾代之前的祖先，累積一千天才能接收到的訊息量！這意思就是，從前的腦袋可以用二萬四千小時去處理的事情，現在我們的腦袋要在二十四小時內處理完畢。

過去幾年裡，我密切注意了波斯灣戰役、波士尼亞戰爭、佛羅里達颶風、中西部大水、加州和墨西哥大地震、美國警察和各種罪犯相互開槍。幾個月前，在一天之內，我看到了洛杉磯的瘋狂暴動、香港的墜機、巴勒斯坦被炮轟、索馬利亞快餓死的兒童。我只要按一下電視遙控器的按鈕，就能親眼看到所有在我個人世界裡，一輩子都不會遭遇的慘事。即使用一生的時間，都難以平撫的哀傷，教我如何在一天裡全部消化？

要是我們的祖先都能從電視上，親眼看到第一枚原子彈投到了廣島的上空、法國大革命期間囚犯的處決、十四世紀淋巴腺鼠疫的流行或是耶穌被釘在十字架上，不知會有什麼後果。我們實在不能想像，若是祖先們能預見未來，他們影響我們命運的各種決定，會受到何等巨大的衝擊！

美國的精神熔解

只要目睹過任何一樁這種慘絕人寰的事，任何人都會感受椎心刺痛，而我們這樣日

復一日接受這些慘事的疲勞轟炸，後果是什麼呢？我深信我們的精神狀態都已到了嚴重超載的地步。人類的心智對壓力的處理都有一定的限度，一旦超出限度，就會出現功能失調的現象，就像電流量超過電線所能負載時，就會熔化，甚至起火燃燒。

讓我們假想有一組人被關在一個房間裡，牆上十幾個喇叭一起放出震天價響的音樂，無數個電視機分別閃爍著不同頻道的畫面，燈光明滅不定，連地板也在振動。不用多久，大部分人的情緒或行爲就會出現很大的變化；他們會變得頹喪、疲倦，而且緊張；再過不久，他們就會露出敵意和攻擊性；最後，這些人會變得很暴力，平時溫和的人可能會開始互相吼叫，連平常最善體人意的人也會互相毆打。

這是怎麼一回事呢？這些人的痛苦是刺激過度所引起的。科學研究調查發現，如果我們在精神上、情緒上或感官上，一下子受到太多的刺激，我們焦慮的程度會急劇上升。高漲的焦慮情緒需要發洩，發洩的方式通常就是敵意和暴力，這就像是我們的大腦在說：「停啊！我受不了了。我快要爆炸了！」

我們每個人都有過這種經驗，只是可能沒那麼嚴重。電話鈴在響，爐上的熱水壺在叫，小孩纏著你問問題，所有狀況都在同一個時間裡發生，你只覺得你好想尖叫。你的精神電路負荷過度了，你的暗自叫苦和詛咒顯示你已經短路了。

在美國，我們每個人都忍受著精神熔解、情緒短路的痛苦。我們個人的精神領域受

到衛星電視、傳真機、大哥大不斷地侵犯，能讓我們躲起來的地方愈來愈少。我們再也不能躲在自己的天地裡，不管這個國家或世上其他角落發生些什麼事。在這個全新的地球村裡，我們必須忍受這綿綿不斷、無情的過度刺激，我們就像被判了刑，得終身監禁在不可捉摸但又真實的焦慮中。

持續亢奮

焦慮不只是一種精神狀態，它能造成生理上極大的變化。我們的身體在經歷恐怖或緊張的時候會亢奮——血壓升高、心跳加快、呼吸急促，就好像我們的身體把它承受到的壓力釋放到全身去。或許不是每個人都變得很暴力或表現出很明顯的敵意，但是持續刺激的副作用是：我們會對亢奮的感覺上癮，只有更多的刺激引起不斷的亢奮，我們才覺得自己活著。

看看最近幾年流行電視節目的趨勢：「救援電話九一一」（Rescue 911）、「緊急狀況！」（Emergency！）、「天眼」（Cops）……，這種稱做「根據真人真事拍成」的節目，好像永遠不嫌多。我們彷彿要看到所有的車禍、醫療急診、英雄式的救援和戲劇性的緝兇，要讓心緒亢奮時才分泌的腎上腺素不斷分泌，才覺得痛快。

最近爲因應大眾的聳動口味而新推出的，是「電視法庭（Court TV）」，這是一

個不斷實況轉播刑事和民事法庭開庭的頻道。數以百萬計的美國人每天從這個頻道上，看著證人席上的被告被控方律師追問得汗流浹背，或是受害人淚流滿面地陳述著駭人聽聞的受害經過。我們喜歡推測某人有罪或無辜，每天緊張地等待每一個案子的最新發展。古代有愛看執行私刑的無知羣眾，我們是現代版，萬頭鑽動等著瞧下一個被踢出來的倒楣鬼是誰。

誠如副總統高爾（Al Gore）在《均衡之境》（*Earth in the Balance*）一書中所言：「就好比一個人若是生長在不健全的家庭裡，他對正常人一定能感受到的痛楚，會故意情緒性地視而不見。我們這個不健全的文明也發展出一套視而不見的方式，使我們不致因感受到對世界的疏離而痛苦。」換言之，我們已麻木不仁。平凡生活裡的情感已不足以激起我們的熱情，或令我們覺得生意盎然。

就這樣，我們成了一個變態國家。我們會因災難和醜聞而興奮；觀賞肢體或情緒的暴力，我們會覺得刺激過癮；看著陌生人遭遇煩惱困境，竟也成了我們的娛樂。我們可以冠冕堂皇地說，那些「救援電話九一一」、「天眼」等節目是在宣揚守望相助、和諧共存之類的家庭價值，然而我們在二十世紀末的美國，怎麼說都還是對各種令人震驚的上了癮。

最明顯的，就是我們全國對「性」的著魔。不論是在雜誌的封面上、電視節目裡的

一段情節裡，或是一本「全集」的主題中，「性」對我們的吸引力勝過其他任何事物。記者葛伯勒（Neal Gabler）認爲：「在我們的文化裡，從流行音樂網到音樂電視頻道，公開赤裸的色情圖像愈來愈多，它反映出的是我們的挫折感——失去了純真的挫折感。」「從政治、藝術、宗教、運動、甚至到人際關係，我們都看不到真心。」

美國失去了什麼？

我深信，我們這個國家絕非麻木不仁；我們只是表現出所有受創後因壓力而引起的失常症狀；我們只是經歷了多次重大的挫敗後，還沒恢復過來：

● 我們失去了對美國之夢的信心

我們不再能信靠慣以賴之的事物。我們不再篤信：只要一生辛勤耕耘，必能衣食無虞；只要認真工作，絕不會因經濟不景氣而失業；只要受過教育，就有本事找到工作；只要遵守遊戲規則，必得獎賞。「理當如此」的感覺已被剝奪，美國之夢也無由存在。

● 我們失去了「明天會更好」的信仰

有史以來頭一回，大多數人不再覺得「明天會更好」。我們不再相信，孩子們過得會比我們好；我們也不相信，社會問題能改善，而不是每下愈況。即使最是理想派的人也較從前多了恐懼，少了希望。

●我們失去了安全感

如今連身處往日淳樸的小鎮，我們也不敢夜裡出來散步了，惟恐自己被害，讓犯罪統計又添一樁；我們開車時不再有安全感，惟恐遇到強劫；單身的我們不再敢輕易和人上床，惟恐染上愛滋病毒；我們害怕送孩子去上學，惟恐碰上沿街亂開槍或打人的瘋子；我們不敢把孩子放在托兒所，怕他們遭到性侵犯；我們不敢讓孩子自己騎腳踏車去同學家，怕他們被綁架。我們連待在自己家裡都沒有安全感。

●我們失去了避風港

我們不再有安全感，同時也失去了逃離生活壓力和緊張的傳統避風港。晚上出去走走，開車兜兜風，或來一點性生活——這些曾經是我們用一、兩個鐘頭來享受自在人生、紓緩緊張情緒時常做的事，現在全都變成危險遊戲了，做之前總要一再三思。我們彷彿身陷囹圄，成了關在自己家裡的囚犯。

●我們失去了心靈的隱私

那些一向把我們的生活和身外的世界區隔開來的疆界，都被侵犯了。衛星科技把一切的不可能變成可能，唯獨「想躲開這世界的悲劇、逃離這個嶄新地球村的騷動」成了不可能；想要「轉台」，不要再聽到周遭的任何新聞，很難；而拜大哥大和傳真機之賜，「你們會找不到我」這句話已經從我們的字彙裡消失了，不論我們走到天涯海角，

它們都能教人無所遁形。

●我們失去了與「敵人」之間的安全距離

從建國以來，美國一直很清楚敵人是誰。曾經是英國，曾經是日本、是德國、是俄國——是一個遠在地球另一端的國度、一個遙遠的民族。隨著冷戰的結束，共產主義的瓦解和核武戰備的普遍撤除，我們遙遠的敵人一個一個都不見了。轉眼間，威脅我們的家園、我們的財產和我們的家人的力量，不再來自海外，而是就在國境之內；帶著槍等著取你性命的人，不再是遠在天邊，他就近在你家巷口！敵人來了——草木皆兵。

以上每一項單獨來看都已是很嚴重的損失，把它們統統加在一起，對我們的精神和心理，更是一股威力強大無可抵擋的破壞力。平常不論失去了什麼，我們都會有一些緊張的情緒反應，現在面對這些多重損失，我們也有一樣的感受——憤怒與無力感。

我們憤怒，因爲我們受到過度刺激。

我們憤怒，因爲一切事情原當漸入佳境，而不該每下愈況。

我們憤怒，因爲我們一直努力要把事情做好，卻好像半路殺出個程咬金，把遊戲規則都改了，也沒人來通知一聲。

我們有嚴重的無力感，因爲我們無法保護自己和我們所愛的人。

最大受害者——兒童

在危機四伏的時代裡，每一個社會都是從它最脆弱的一隅開始崩裂。或許，暴力之所以在美國如此風行，正是那些自覺天生喪權的人，在感受最深的無力感後都做出了相同的反應；而暴行的肆無忌憚也或許正真誠地反映了施暴者鬱積的恚忿之氣。我們每一個人都是這個時代的受害者，只是有些人由於起跑點不同，在先機盡失的情形下，當然也就比其他人更早潰不成軍。

正如《新聞週刊》在最近一期的封面故事中所言：「是誰殺死了童真？是我們自己。」在這個充滿挑戰的非常時期，我們大人已不免感到極度焦慮和失望，老天爺可憐的孩子們，就更難逃「在驚嚇中早熟」的命運了。我上小學的時候，天大的煩惱就是，不知道會不會在體育課時被選進排球校隊，或是艾蜜麗生日時不知會不會請我去她家玩；現代小孩的煩惱是：擔心被殺！六歲大的孩子，就已有機會目睹同年的小朋友死在沿街掃射的槍口下；初中、高中校門口要設金屬偵測器，以確保沒有人身上帶著槍。童年再也不是過去的童年——沒有了純真，連「童年」兩個字都稱不上了。

別以為你的子孫不知道這是怎麼一回事，他們清楚得很，他們可能比大人更能誠實反映自身的感受。最近一次普林斯敦調查（Princeton survey）訪問了七百五十八個十

到十七歲、來自不同經濟背景的青少年，得到了下面的數據：

- 五六％害怕來自家人的暴力
- 五三％害怕父母親會失業
- 六一％擔心自己將來找不到好工作
- 只有三分之一的受訪者表示他們將來會比父母賺更多的錢
- 四七％擔心買不起房子
- 四九％煩惱錢不夠用
- 只有三一％的城市居民、四七％的郊區居民覺得夜裡安全
- 六分之一的受訪者親眼見過或知道有人被槍殺

早慧早憂

安全和信賴是童年生活的品質保證，有了安全和信賴，孩子可以從大人世界的殘酷現實裡隔絕出來，充滿信心地學習和成長。如果我們的子女每天早上都在一個不能信靠的世界裡醒來，晚上則在令他們害怕的世界中入睡，那麼，他們之中有七分之一的人有過自殺的念頭，這又有什麼足以爲奇的？記者愛德樂解釋道：「愈來愈多的孩子得在大人都覺得動盪不安的世界裡討生活——到處是不懷好意的陌生人、危險的性誘惑和神祕

難懂的經濟力量。」我們大人至少還曾有時間先學些應付的技巧，好處理我們所面對的壓力。可是我們的孩子，能拿什麼去面對壓力呢？

我們不得不再談談科技，它是迫使孩子面對情緒危機的元兇之一。我們小的時候，大人會把生活裡某些不愉快的部分給擋掉，直到我們夠大、有能力處理，才讓我們去碰觸。現在的孩子，每天從電視、電影裡，接收大量不受控制而且經常未經檢查的訊息，他們知道得太多、太早。

平均每一個兒童小學畢業之前，已經在電視上看過八千樁謀殺案和十萬件暴力行爲。他已經清楚什麼是性——包括性行爲可以致命；他也知道許多和他一般年紀的孩子遭受身體虐待或性侵犯，更懂得有些孩子流落街頭是因爲父母找不到工作。

我聽過很多家長彼此談到自己小孩如何地早熟，每一個聽故事的人的反應都是：「好聰明喔！」或是「天啊，現在的小孩子！」可是我聽到了他們隱藏在笑聲背後的緊張，所有的父母都在心裡偷偷地問：「孩子們的天真無邪什麼時候都不見了，我怎樣才能保護我的孩子不會受到傷害？」

答案是：「你保護不了他們」，而這也是我們每一個人，不論有沒有小孩，都爲下一代憂心忡忡的原因所在。少女懷孕、藥物及酒精濫用和少年犯罪比率之高，美國是世界上數一數二的。事實上，讓我們不敢出門、好像被囚禁在家裡一樣的街頭暴力，大部

分是身上帶了槍的孩子惹出來的。我們的孩子和他們的父母一樣，怒火中燒卻猶感無力，而他們之中有很多人，並不像我們那樣懂得克制自己的情緒。

哲學上有一個很重要的概念：「識見決定氣質」，如果我們的孩子是在一堆暴力影像前面養大的，我們就不必對他們的暴力行爲太過驚訝。而且我們總該知道，他們的暴力傾向、他們的出言不遜和無禮，還有偶爾在他們明亮的眼眸閃過的迷茫眼神，其實都是他們求救的吶喊。他們迷失在時代的巨痛裡，只有我們能爲孩子們和我們自己，找出一條救贖之道。

美國，我們摯愛的故鄉，正身陷重重危機裡。我們不能再對她的呼救置若罔聞。然而，我們無法讓時光倒流，回到一切仍舊美好的年代，去除掉禍根；我們不能、也不應該摒棄由科技和物質進步所帶來的一切。那麼，答案在哪裡？醫治我們和子女靈魂創傷的救贖之道在哪裡？如今何處是我們的桃花源？我們該怎麼做才能再讓落英繽紛？

返璞歸真

縱使眼前仍飄搖不定，我對未來卻依然滿懷希望。因爲就在我們的身邊，不論是價值取向或對成功的定義，我都看到了美國開始復原的明顯跡象。

東方哲學告訴我們：物極必返。而今，在感受失衡已極之際，我們的意識正開始由

自我放縱回歸到自我發現的路途上，很多人已開始回歸宗教與心靈的實踐。我們曾經以地位、財富和成就來衡量一個人的成功與否，現在我們看重的是一個人是否快樂、是否能得到心靈的平靜。

我們開始重拾「返璞歸真」的哲學，而不再執迷於「多就是好」。整個社會的走向都反映這樣的趨勢：我們丟掉細跟的高跟鞋和不實用的迷你裙，重新穿上工作鞋和寬鬆舒適的衣服；我們不再受新潮進口車的迷惑，只開實用的普通車和旅行車；我們回到盛著薯泥和肉餅的餐桌前，放棄對精緻餐餚的迷戀。

科技不甚發達時代裡的舊愛，又再次成為我們新歡的同時，我們對豪華精緻不感興趣，如今愈簡單的東西對我們愈有吸引力——西部味道的服裝款式、接近大自然色彩的服裝顏色，美洲原住民產製的首飾成為最新時尚，西部牛仔電影和電視影集則是我們最愛——這一切就像我們企圖把時鐘往回撥，去尋回這一路上我們遺棄的拓荒精神之根源與價值。

同時我們也重新築巢，希望能將科技從我們手中奪去的隱私感重新建立起來。我們外出的時間少了，待在家裡的時間愈來愈長，不純是因為我們沒有安全感，而是我們想要獨處。在我們努力騰出時間，來重新思考「我是誰」和「我究竟追求的是什麼」的當口，隱私是我們最強烈的需求。

二十一世紀即將來臨，所有美國人也即將經歷一次深邃的靈性蛻變，這次蛻變能使我們得到拯救。

數千年來，中國人有這樣一種觀念：

治國才能平天下……。

齊家才能治國，

修身才能齊家，

此刻，我們比以往更需要真實的剎那，以重振疲憊已極的靈魂，並尋回人生的真諦。當我們的期待不斷受到經濟現實的挫傷，當我們的外在生活因無法控制的時空環境而不斷受限，我們只有轉而向內，只有內在的生命是無限寬廣，不受任何拘束。在那裡，不在下一座山頭上、不在下一樁豐功偉業裡，而是就在當下、就在此時此刻，我們以圓成生命的能力，找到真正的自由。

就這樣，一個剎那接一個剎那，隨著時光流轉，美國終將回到老家的懷抱。

第三章

迷途

有一個尋求智慧的人，
花了痛苦難捱的三個星期，
爬上了一座崎嶇陡峭的高山，
他在山頂找到一位智慧的長者。
他問長者：「如何能使我的生命更快樂？」
智者回答：「首先，下次你要上來這裡的時候，
繞到山的另一面搭纜車上來。」

——雅伯（Gary Apple）

我們的一生都在追尋快樂，在這條尋樂之路上許多人都走得異常辛苦，因爲找錯了方向；我們繞開了能指引人生的真諦的直接經驗，而選了一條最難走的路「上山」。這一章提供了一個機會，讓你看看自己如何躲過了許多真實的刹那，在這過程中浪費了多少時間。如果能以開放的胸襟繼續讀下去，相信你會了解，你是如何阻擋了自己的路，如何不讓自己去經歷該擁有的寧靜和完滿。真實刹那早就等著你，這是你去探索它們的第一步。

首先你要問自己這些問題，並謹慎回答：

什麼東西能讓我快樂？

真正快樂的時刻多久出現一次？

我怎麼知道自己什麼時候很快樂？

不切實際的期盼

如果回答這些問題不如你預期的簡單，不必訝異！我們常常辨識不出生命中真正快樂的時刻，因爲我們總期待一些不一樣的東西——更大、更耀眼、更戲劇性的東西。大多數人腦子裡所描繪的快樂，總脫離不了我們從小到大根深柢固的想法：「愈大

愈好」。所以我們對快樂存著很多不切實際的期盼——我們的心裡有兩個閃閃發光的金色大字：快樂！碩大無比的字，像天空裡的一塊大蛋糕，像一只金黃色的指環，像彩虹末端一盤燦爛耀眼的黃金。

於是我們被動地等候著快樂，彷彿上帝會在某一個特別的時刻裡，教快樂降臨在我們的身上。妳剛剛生下了第一個孩子，精疲力竭地躺在那裡，妳想到的是：「總算過去了，現在我該覺得快樂了。」你終於盼到了想望已久的升遷機會，你要趕快回去告訴太太，在開車回家的路上，你想：「總算可以不必再爲工作擔心，可以真正快快樂樂過日子了。」你終於搬進夢想了一輩子的新房子，你到各個房間巡禮一番，你想著：「終於啊！我終於有了屬於自己的房子！今天晚上我一定會睡得很香、很快樂。」

可是萬一你不快樂呢？萬一你心裡只出現了小小的三個字「還不錯」，而不是你所期待的「大大的快樂」呢？「我怎麼了？」你不禁狐疑：「我應該覺得大大的快樂啊，爲什麼現在只感覺到小小的快樂呢？」甚或你的感覺根本是另一回事——可能你其實感到疲倦，或只覺得還可以，或是什麼感覺也沒有。

我們都看到了，這就是誤信「如果現在不快樂，那麼快樂就在下一個轉角，或者快樂就在下一個山頭上」的結果。我們只知道，某一天那個偉大的時刻就會來到。到了那一天，你會清醒過來，然後說：「等等……有些東西不一樣了喔。這是快樂嗎？真的是

快樂嗎？哦，天啊，我想一定是了……！我快樂了！我終於覺得快樂了！」

等待喜悅降臨

在我成年之後，我上窮碧落下黃泉地追尋快樂，但總苦索不得。以前我總不明白自己什麼地方出了錯，也不明白爲什麼我的所有成就和種種經驗，都不能教我的內心深處得到滿足。直到四年前的某一天，一次經歷提供了我一些答案。那時我和我的丈夫剛抵達一個海邊小鎮，正要展開我們期待已久的假期。在那之前的一年裡，我們倆幾乎每天都加班工作，空閒的時間少得可憐。出發前幾天，我就已經興奮得每天在數日子了。

頭兩天過得很快。到了第三天傍晚，我獨自在海邊一條寧靜的路上散步。海邊的空氣清甜而溫暖，樹上的鳥兒正對著向晚的夕陽，輕唱著柔美的小夜曲。我走著走著，忽然明白：從假期一開始，我就覺得有什麼事情不太對勁。

「會是什麼事情在煩我嗎？」我納悶著：「這裡一切都很完美。游泳、日光浴、做愛，所有我最喜愛的事情我都做了。我應該徹頭徹尾覺得快樂才對啊！」

然後，我突然開了竅。我一直在等待快樂，就像快樂是一種會降臨到我身上的情況。如同小孩子閉上眼睛等禮物那般的興奮緊張，我等待的是，快樂忽然掉到我頭上，告訴我它來了。每天早上醒來我都要檢查一下——我快樂了嗎？心裡頭一個小小的痛苦

回答：「不，還沒……，待會兒再來看看。」於是我一天裡總要來查個好幾回，就像查勤一樣：「好了，現在怎麼樣？我現在快樂了嗎？」當然，答案永遠是「不」。

我站在那條美麗的路上，有一句話閃進了我的腦海裡：「等待喜悅的降臨」，我知道這就是我當時的最佳寫照。我期待喜悅來趕走心中的不滿意，等著喜悅來讓我驗名正身。我似乎需要上帝親自下凡來宣布：「芭芭拉．狄．安吉麗思——恭喜妳！妳現在正式得到快樂了！在它消逝之前，好好把握享受吧！」

我把快樂預設爲超出自己能力所及的情況，一種我可能遇上、也可能遇不上的情況。當我去度假，我會很快樂；當我放鬆下來，我會很快樂；當我享受了一場很棒的日光浴，我會很快樂。當然，這意思是說，如果我度假不成，或是去得成卻碰上連日陰雨，我一定會很不快樂，因爲這些情況與我的預設完全不能吻合。

我等待快樂由外而來，而不是發自內心地快樂起來。所以我獨自站在夏日的黃昏裡，等著快樂宣布正式降臨我的生命中。那一刻，我才了解，如果我不改變自己的生活方式，恐怕我只有永遠等下去。

這本書一開始我就說過：快樂不賴獲得，快樂是一種技巧。快樂是你在每一刻所做的選擇——選擇如何體驗當下時刻，快樂不是有一天你會忽然到達的一種境地。正因爲我一心一意只等待喜悅大駕光臨，以至於和許許多多真實快樂的時光擦肩而過。

這就是我們錯過真實刹那的第一種方式——因爲我們的想法錯誤，真實的刹那因此永遠與我們緣慳一面。

憂樂相生

我相信大多數人對快樂都存著一種誤解，以爲快樂是一個我們要到達的特殊境地，就像有一天我們會四十歲，有一天我們會訂婚，有一天我們能成功地戒掉一個壞習慣。當我四十歲了，我訂了婚，我戒了癮，我就快樂；而事實卻如同我在海邊散步那天所領悟到的，完全不是那麼回事。

快樂不是一種生命的狀態，它是一連串真實刹那的組合。快樂的刹那並不會毫無緣由地來到，我們必須創造一些時機讓這些真實的刹那產生。我們不能再逃避那些能帶給我們發自內心喜悅的經驗。

快樂不是一種生命的狀態，意思就是我們不可能永遠快樂。對於我們這些在「要什麼有什麼」年代裡長大的人，這真是個教人非常失望的消息。我和我的同輩都曾努力抗拒過這個事實，所有痛苦、迷惘或不愉快的時刻，對我們來說都像踩了一腳的爛泥巴，必速去之而後快。我們儘可能避開任何不對頭的感覺，萬一避不開，便只好蒙著頭衝過去，但求快快回到「正常狀態」。

聽說有外國人這麼形容過：「美國人的毛病是，他們希望永遠過著幸福美滿的生活」。我無法否認這句話。我們太過醉心於一切完美，以致很難接受那些總是成雙成對出現的事物——有好，必有壞；有成功，必有挫敗；有歡樂，必有悲傷。

我這方面的毛病可能比其他人更嚴重。六年前，我始終將痛苦或難過誤解爲修養不夠，那時我相信，只要生活得幸福美滿，便會永遠快樂無憂；而由於我並非快樂無憂，所以我的生活裡一定出了問題。這樣的誤解使我長期活在壓抑和逃避之中。舉例來說，我認爲在某段人際關係中我應該很快樂，於是我不去面對其中的問題，不去處理常常引起爭執的話題，甚至拒絕承認自己不快樂。就這樣我錯過了許多真實的刹那，儘管那些都是蘊涵豐富意義和力量的時刻，但因它們並非全是歡樂的時光，我仍然躲開了。

如果我們想求得內心真正的平靜與純真，我們必須面對一個事實——所有的痛苦、悲傷、不愉快，都是生命中時常出現、不可或缺的一部分。我們不可能永遠快樂。心理學家容格（Carl Jung）這麼說過：

> 快樂不賴獲得，快樂是一種技巧；
> 快樂是你在每一刻所做的選擇
> ——選擇如何體會當下時刻；
> 快樂不是忽然有一天你會到達的一種境地。

有多少個白天，就有多少個黑夜，一年之中，黑夜與白天所占的時間一樣長。沒有黑暗就顯不出歡樂時刻的光明；失去了悲傷，快樂也就無由存在了。

想像你的孩子病了，你半夜還守在她的床邊。她因害怕而哭泣，你輕撫她的頭髮，安慰著她，耐心地等著她慢慢退燒。在這不眠的夜裡，你什麼都不管了，全世界只有她是最重要的。你愛她愛得心疼，你們之間密不可分的關係讓你覺得神聖無比。你快樂嗎？當然不。但是你知道，這段經驗意義不凡，而且深深觸動了你的心底深處。沒錯，你正經歷真實的刹那。

這是唯一的途徑——學著去體會真實的刹那，一個接著一個，然後我們才有能力去體會快樂時光。

缺乏真實刹那時……

大多數人都有「真實刹那缺乏症」，從生活裡經驗到的真實刹那不夠多。當我們患了「真實刹那缺乏症」，我們的內心就會跟著缺乏平靜、滿足和喜悅。狗在欠缺礦物質的時候，會開始在院子裡扒土來吃，以彌補礦物質的需求。你虛軟無力的時候，會渴望吃一塊糖或任何甜的東西，好立刻補充血糖。同樣的道理，一旦擁有的真實刹那不夠

多，你會發展出不健康的需求或行爲，企圖藉以填滿心靈和情感的空虛。

如果你出現了以下的徵狀，很可能就是你生活中的真實剎那太少了：

●**你覺得要不停地做事**

當你欠缺足夠的真實剎那，不舒服和焦躁的感覺會不斷啃囓著你。紓解的唯一方法就是不停地忙碌，讓自己專注在旁的事物上，好忘記內在的感覺。你可能會變成工作狂，一天工作十二甚至十四個小時，絕不稍懈。「我真希望能休息一下，」你大聲地強調：「可是這個計畫需要的時間超出了我的預估！」當然，它永遠會超出你的預估，因爲你根本就是這樣計畫的。如果你是女性，妳會是個救苦救難的活菩薩，二十四小時隨時都在爲朋友、家人、社區慈善活動或任何需要妳幫忙的人服務。妳還會抱怨：「真搞不懂我怎麼會忙成這個樣子！」答案很簡單：妳不曾向任何人或任何事說「不」。

假使你需要不停地做事，你自然會找到需要幫助的人，或需要著手去做的計畫，即使你一直在嚷著希望有更多的時間去享受人生，你卻絕不會挪出這樣的時間。這裡頭有

當我們活到最後一刻，如果我們真正地活過，
便不可能說：「我這一生都很快樂。」
我們最多可以說：「我的一生充滿了真實的剎那，
而其中有許多快樂的時光。」

個玄機——得到讚賞和鼓勵，尤其如果你發現自己頗有一番成就，又的確幫助了很多人，這會使你工作過度的傾向更加強化。

工作過度的人一旦閒下來，反而會顯得很緊張。他們面對空寂會覺得很不自在，巴不得趕快把它填滿。他們是那種在家裡一天吸塵兩次，或忙著爲計畫表做準備的人。他們沒辦法什麼事也不做地度過一個安靜的、沒有事先安排的假期。相反地，他們一定會看遍所有博物館或每一個旅客必遊的據點，或是讀完五本書。倘若你是這一類人，很可能只要你在家，你的電視機或收音機就一定開著，因爲你無法忍受一屋子的靜默。

工作過度的結果會變成一個惡性循環：

你體會到的真實剎那不夠多，所以你覺得空虛↓

你覺得非得藉著不停的工作來填補你的空虛不可↓

當你不停地工作，你便沒有空閒的時候↓

因為你總沒有停下來的時候，所以你體會不到任何真實的剎那↓

你只好再以不停的工作來填補無盡的空洞……

惡性循環就這樣永無休止地繼續下去！

打破這個循環唯一的方法，就是停下來，創造一個真實刹那發生的機會：夜裡孩子們都睡了之後，關掉電視，和你鍾愛的人靜靜地坐著，享受這親密的真實刹那；與其爲每個週末煞費心機地計畫，不如騰出二十分鐘到公園裡走走，體會一下大自然的真正滋味；下次和朋友聚會時，不要事先安排任何活動，試試看單純的相聚會帶來什麼樣的真實刹那。

給自己一點時間，什麼也不做，才能在生活裡爲真實刹那留出一點空間。

●你上了癮

不同的上癮都有共同特徵——它們使你對當下的一切全無知覺。取而代之的是，它們提供你的強烈感官經驗，占據了你所有的注意力，或扭曲了你對現實的認知。你以爲自己正享有真實刹那，其實不然，因爲你上了癮，不論是酗酒或吸毒，都會使你脫離真正的情緒，無法和周遭的人產生真正的情感交流。

渴求真實刹那的人往往會藉由癮頭追尋短暫的快樂。癮頭上所感覺到的快樂，其實是來自某種物質或某種行爲的刺激，並不能長久，當這種物質或行爲消失的時候，你會全身都不舒服、不對勁。你就是這樣上癮的，不斷地需要刺激，而且需求量愈來愈高。

上癮的現象普遍存在於美國社會，只是人們往往不知道自己已經上了癮。我所說的上癮，指的不是海洛因或古柯鹼那類大家早有定論的毒品；我指的是一般大眾都普遍接

受的癮——喝酒、抽菸、吸大麻、鎮定劑、止痛藥、賭博和色情；因爲大家不認爲這些是「癮」，反而更容易在不知不覺中著了迷而無法脫身。對於這一類的癮，我們多半只稱它做「習慣」。

我們對那些嚴重上癮和那些不打緊的「習慣」有可怕的雙重標準。一個父親嚴厲地指責十六歲的兒子嗑藥，自己卻握著一杯睡前必喝的馬汀尼酒；一位國會議員正在感歎毒品掮客如何摧毀了國家的青年，一邊正吐納著他今天的第四十根香菸；女兒在搖滾音樂會上偷嘗了迷幻藥，母親對女兒失望地大罵，然後回到房裡吞下一片鎮定劑才上床。

不論是無可救藥的酒精中毒或是一天要看十個鐘頭的電視，經常服用易上癮的飲料與藥物，或經常放縱自己於易上癮的行爲中，都能使人喪失正常的感官能力。你一定要儘可能戒掉它，並努力地從單純的生活中感受振奮與興味。

●你憤世嫉俗、消極悲觀，喜歡冷嘲熱諷

我非常同情喜歡冷嘲熱諷的人，因爲在他們輕蔑不屑和辛辣譏諷的盔甲之下，我看到的是，渴求真實剎那的寂寞靈魂。

當我們體會不到真實的剎那，我們便難以看清自身存在的目的和真諦。失去人生的意義，我們便只能成天在一連串無意義的事件之中，無目的地來來去去。當我們再也感覺不到人生的意義，我們很容易就變得憤世嫉俗，對一切都不再真心關懷。

憤世嫉俗的外表下，其實是痛苦不堪的內心，是對如今世界無望的憤怒。這種人通常對人對生活都不抱任何希望。想想你周圍的人當中，是否有抱持悲觀或負面人生態度的人，觀其眸子，你會看到一個受傷的靈魂。

如果你對於我們何以在此、該做什麼完全失去了信心，你一定缺乏足夠的真實剎那。唯有真實的剎那能爲你的生命重拾意義，再創價值。

●你完全為別人而活

一位老祖母獨坐在自己的公寓裡，鎮日守在電視機前，看無聊的連續劇和脫口秀。她盯著電話，期待晚上她的孫女會打電話來。每當從電話裡聽到孫女的聲音，老祖母總是非常開心——事實上，她根本只是爲孫女偶爾的電話和來訪而活著。回想起感恩節時，孫女來陪她住了三天，笑容便綻放在她的臉上。看看鐘，她知道再過四個小時，孫女就會下班回家。「或者今天晚上我來打個電話給她。」老祖母這麼決定了：「這個星期過得太平靜，太無聊了。」

假如過去幾年來，你最大的喜悅完全來自子孫或是配偶的成功和快樂，那麼你自己的生命便顯然缺乏足夠的真實剎那。你完全是爲別人而活。我說的不是以你所愛的人爲榮，或是和他們在一起時覺得心情很愉快，我指的是讓別人成爲你生活的重心，而把「自己」丟到一邊。

我看過太多母親只爲子女而活，子女成功時跟著歡喜雀躍，子女失敗時跟著傷心難過；活著的唯一理由是子女，完全沒有了自己。我也見過祖父母只爲孫子而活，孫子是他們唯一愛的泉源，活著只是爲了能見到他們、能和他們說說話。還有許多妻子只爲丈夫而活，徹底放棄了自尊，以丈夫的成就爲成就，以丈夫的社會地位爲自我的價值。

我們若沒有屬於自己的生活目標，就很容易會拿旁人的目標來替代。不過，找回自己人生的目標永不嫌遲——事實上，知道自己人生的標的才是長壽的祕訣。

讀到這兒，如果你覺得心虛，那麼很可能，這是你找回自己生命意義的時候了——放開你所愛的人，不要只爲他而活，爲自己掌握更多真實的剎那，尋回自己生活的目標。無論是爲老人或醫院做義工、認養失怙無依的兒童或是到社區的育幼院幫忙，你都會有你獨特的貢獻，你的存在絕非無足輕重。

●你愛批評挑剔

就字面定義來說，批評是指置身於事件或關係之外，去評斷你的所見所聞。你看見有人在工作中犯了一個大錯，你心想：「這個大笨蛋！」你開車恰好跟在一位老太太的車後，她的時速只有二十五公里，你不耐煩得很，心想：「怎麼能發駕照給這種人！」

在你批評的時候，不可能同時擁有真實的剎那。

真實的剎那只有在你完全投入、打從心底去充分體會時，才會出現。你一定得和周

遭的人或身處的環境交流融合成一體，你不可能置身事外。但是在你批評的時候，你與人、事絕緣，把自己抽離出來，於是你不可能擁有那段時刻中的真實刹那。當你放棄批評，創造出一個和他人真心交流的刹那，你已踏出真誠關懷的第一步。

在街頭學習關懷

以下是我如何學會不再躲避真實刹那，以及如何了解關懷之力量的兩個故事。

去年我決定換一輛新車，有天下午，挪出了一段時間去看車。在一個汽車代理商那兒，一位年約五十五歲的業務員同意讓我試試那輛我中意的車。五分鐘過去了，十分鐘過去了，他還沒找到那輛車的鑰匙，我開始有點惱了。更糟的是找到鑰匙之後，他又記不起解除警報器的密碼，又得回店裡去查。我那時非常惱怒，氣他浪費我這麼多時間。好不容易，我們開了車上路。沒想到從展示場出來，才走了不到兩公里，車子忽然在一個路口熄了火。

不論你幾歲或身處任何環境，
你永遠是獨一無二的，
永遠有你獨特的貢獻，
你的生命因爲你的特質，而有其意義。

「怎麼回事？」我問他：「我動錯了什麼東西嗎？」

「沒有啊，」業務員也一頭霧水：「可能只是熱車沒熱夠吧。」

然後，我看到油表的指針，油箱竟然是空的。「先生，」我冷冷地對他說：「這輛車沒油了。」

「哦！真的呢！大概是師傅忘了把油加滿了。」

這時我已經火冒三丈了。眼看著接下來的約會要遲到，我們竟然被困在這個交通繁忙的十字路口，還造成了大塞車。

業務員跑進附近的商家打電話回店裡，找人來接我們，丟下我一個人站在街頭。我盛怒已極，對自己找了這個大白癡來買車覺得挫折不已。「笨！」我罵起自己來：「我浪費了整整一個下午，就為了這個白癡不懂得先檢查油箱。簡直是豬腦袋！」

十分鐘之後，一臉尷尬的業務員回來陪我一起等。那天洛杉磯的天氣挺暖和，業務員的臉紅得像個胡蘿蔔，襯衫也被汗濕透了，我開始有點擔心他會心臟病發作。或許也有點同情他吧，我決定和他說說話。

「我剛剛不是故意無禮的，」我搭訕道：「只是我原本該趕去赴一個約，現在整個下午的計畫全亂了。」

「妳千萬別道歉，」他平靜地回答：「這全是我的錯。今天我因為一點私事，真是

一團糟，我的腦袋簡直不管用。」

那一刻，我知道我面臨一個選擇。我可以繼續批評他，但對彼此都不好；或者，我也可以試著探觸他的內心。我選擇了後者。

「聽到你說有煩惱，我很抱歉，」我說：「我知道我自己被重要事情困擾時，心神也是很難集中。」

這正是他想聽到的話，讓他有了安全感：「是因爲我母親，」他脫口而出：「醫院剛剛打電話來——他們剛做了一個切片手術，發現我母親已經到了癌症末期，癌細胞已經擴散到全身。下了班，我就得去告訴她這個壞消息，我不知道我做不做得到。」

我感受到這個男人心裡的傷痛，淚水不禁奪眶而出。難怪他這麼心不在焉，難怪他沒辦法專心賣車給我。一時間，油箱沒油、約會遲到和其他的一切似乎都不重要了。因爲此刻我願意和他共有這一個真實的剎那，我能理解他的行爲，感受到他的悲傷，而且，領略到一個受用無窮的啓示——容我改寫一句美國原住民的處世箴言：「在我們能與對方異地而處之前，永遠不要批評。」

老爺爺開車

第二個故事仍和汽車有關。幾個月前，我開車去赴一個重要的約會，在一段速限約

七〇公里的路段，我前面車子的時速竟然只有三十多公里。當時路面很窄，我無法超車，只能被堵在後面，跟著他慢慢走，一條街、一條街慢慢地走。我按過喇叭，希望前面車裡的人懂得我的意思，但是沒用。時間一分一秒地過，我愈來愈覺得難以忍受。

最後，我逮著機會看到開車的人一眼，發現那是一位大概已有八十來歲的老先生。「我就知道，」我惡毒地想：「有些老傢伙實在不該再給駕照。」我正想對這位危險的笨伯出其不意地再按他一次喇叭，腦海裡卻突然出現了我爺爺的面容。爺爺在我十九歲時就已過世了，我很愛他，他過世的時候，我傷心得幾乎活不下去。我記得他生前最後幾年身體非常虛弱，攝護腺癌蠶食鯨吞他的身體，痛苦常刻在他滿是皺紋的臉上。我憶起那時他有多麼難捱——無私無我地奉獻了一輩子，到頭來健康走下坡，還得靠朋友、家人、甚至陌生人來照顧生活起居。

從記憶裡回過神來，我眼裡含著淚，心中充滿了全新的關懷。我知道前面車裡的老先生很可能和我的爺爺一樣，也是別人的老爺爺，他絕不是爲了要激怒我而開得慢。他只是在最後的生命裡，開車出來走走，感覺一下自己又多了一天。

看著老先生小心翼翼地在我前面開車，我在心裡悄悄地對他道歉：「親愛的老伯，請原諒我剛才生您的氣，」我默想：「我很高興您能活到今天，我知道對您來說，能自己開車出來走走，可能是您僅存的自由之一了。請原諒我那麼沒有耐性，原諒我想逼您

走快一點。現在我知道，您已經盡力了……。」

我鬆開油門，讓自己配合著前面車子的慢節奏，我尊重他的步伐，也爲他默默祝福。最後，他閃著方向燈轉彎走了，當他的車消失在街角，我不禁向他揮了揮手。「再見了，老爺爺，」我輕輕地說：「謝謝您提醒了我，……我懷念您。」

這兩次事件都是我生命中珍貴而真實的一刻。儘管都在意料之外，但也都因爲我當時願意暫停下來，仔細看看究竟是怎麼一回事，我才有機會擁有這真實的刹那。當時我大可只顧著批評別人或詛咒自己的遭遇，而錯過了這些時刻。幸好，我遵循了內心沉靜的脈動，並不忙著評斷那個當下，只先用心地感覺它，所以兩次我都得到了受用無窮的賞賜和提醒。

為何閃躲真實刹那？

當你學會不再逃避真實的刹那，
你會發現真實刹那俯拾即是，
在最意想不到的時候，
也能和你不期而遇。

要爲生命創造更多真實刹那的第一步，就是先確認自己是如何以及爲什麼要躲避真

實的刹那。

●我們因為太過忙碌或不夠專心，而錯過了真實的刹那

我們手邊常常會同時處理二到三件事。你一邊和朋友通電話，同時手上忙著開支票付帳單，眼睛還邊瞄著電視。這樣你和你的朋友怎麼可能會有真正的情感交流？不可能，所以你們也就沒有真正的交流。

今天或明天，你觀察自己一下。看看你有多少時候一心多用，同時注意好幾件事，卻無法好好充分享受或經歷其中任何一件。你在開車上班的路上，聽著收音機，心裡同時盤算一個很重要的計畫。你沒有好好開車，也沒有好好聽收音機，也不曾真正在計畫。你不曾全心全意地做任何一件事情，於是你錯過了開車的樂趣，錯過了美妙的音樂，錯過了對計畫的審慎考慮。當然，你就錯過了真實的刹那。

從我家開車到辦公室得走一條下坡路，那是一條很寬很長的大馬路，從山上直下到海邊的公路交口。就在這山下的路口，有一個眾所周知的紅綠燈，它的紅燈是出了名地長——每次從山上下來，如果不能正好趕上綠燈開過去，你就得呆坐在那裡足足等上六、七分鐘才能走。

就在決定寫這本書之後不久，有一天我和往常一樣開車下山，心裡祈禱著能讓我剛好轉過去，偏偏前面那輛車才過，綠燈就轉紅燈了；我坐在車上，恨死了每次都被卡在

這裡。我瞪著那個紅綠燈，好像瞪著它，它就會變得比較快似的。我不斷地看著車上的鐘，計算著有多少時間被浪費掉，同時還記掛著在今天之內必須完成的每一件事。

但是忽然之間，我看出了整個事情的荒謬之處：我坐在這兒，眼前就是一片美麗的沙灘和海岸。太陽高掛在亮麗的天空上，海面上波光粼粼。每年有成千上萬的人從世界各地專程來到這裡，只爲一睹這樣的美景，而我卻總是如此來去匆匆，無心於此美景，甚至對它視而不見！

我大半輩子好像就是這樣過去了，每件事情都很努力去做，卻不曾用心注意過任何一件事。這個紅燈不過是反映出我真正用心體會過的，是如何地少之又少，難怪我決定寫一本名叫「活在當下」的書，因爲我自己就正需要讀一讀。

我一直對路口的等待厭惡至極。現在，我決定視之爲上帝的旨意——在我走得太快時，它教我放慢腳步，提醒我多多用心：

「停一停，呼吸一下這新鮮的空氣，看看這美麗的海洋，它看來像真是千年不枯、萬年不變似的，可不是嗎？這不就是你所居住的美麗的星球嗎？你是多麼幸運啊，可以每天走過這可愛的海邊！活著是多麼幸福的一件事啊！……覺得好一點了嗎？……好極了，來，我要把燈號換過來了……，祝你有個愉快的早晨！」

這一天，就在這個路口，我領受了上帝給我的啓示；就在燈號終於轉變的那一刻，

我也改變了。注意到自己從前很少用心的事實，我體會到了一個使我生活方式從此改觀的真實刹那。現在，每當遇上山腳下的那個紅燈，我總會微笑著說：「謝謝你，我是該停下來欣賞一下眼前美景。」

●有時我們逃避真實的刹那，是因為我們害怕。

我們不用心，因爲惟恐一旦用心，就會發現在自己心底某些祕密的角落，原來埋藏著好些讓我們不愉快的事實。

很多年前，我和某人維持著一段令人非常不舒服、不滿意的關係。我很愛這個男人，但是我們彼此並不適合。由於我不忍結束這段關係，我也一直不願去面對這個事實，所以我把自己的生活塞滿了各式各樣的活動、計畫，日夜忙個不停，沒有週末，也沒有假日。工作帶給我極大的滿足感，同時下意識裡，我對這段關係不專注、不用心。

終於到了我們一起去度假的時候。不知爲了什麼，我決定不帶任何加班的工作在身邊。我們在一個不知名的小島上訂了房間，自相識以來，我們首度在整個假期中單獨相處，沒有預先設定好的計畫，也沒有工作可討論，更沒有任何雜務可分神。我還記得上飛機之前，不知怎的，胃痛得像裡頭打了個死結。但不久之後，我就發現原因了。

假期的第二天，我獨自在一個無人的海邊待了一整個下午。那個下午充滿了真實的片刻，我不能再逃避自己心中的實話——我必須了斷這段關係。因爲我一直害怕分手會

帶給他痛苦，會對我的生活造成極大的影響，所以在這個下午之前，我始終避免面對真相。然而，在那個小島上，我對自己的諸多感覺，再也無處可逃。

幾個星期之後，我終於鼓足了勇氣告訴那個我愛的男人：我要離開了。我常想，假如我不曾花時間去面對自己，假如我一直不敢去面對自己的真感情，我和他今天會是怎樣一個局面？我們還會那樣不痛不癢地在一起多久？如今，我們都愉快地各自成了家，也都找到了我們真正的歸屬。

有時，擁抱真實的剎那、放開自己的心胸去接受事實，的確需要很大的勇氣。你也可以選擇逃避、拒絕，只是一旦那樣，你的生活便離你的內心世界愈來愈遠了。

稍後我會分享一些創造真實剎那的技巧，但現在讓我們先嘗試一個實驗——在接下來的幾天裡，全神貫注地做一件事情，不能有絲毫的分心。那件事可能是在開車的時候專心注意身旁的景物；或是準備晚餐時，專心想著自己正在爲心愛的人準備一頓美食。

最近在一次飛行途中我嘗試這樣做。我要試試看在整整四個小時的飛行中，不讀一

真實的剎那橫亙面前，有時真能逼得你無處可逃。
當你停下匆忙的腳步，抽出時間用心擁抱真實的剎那，
無庸置疑，你將立刻得面對自己所有的情緒、
秘密和不曾察覺的真相。

本書、不看一部電影，只專心去體會「處在一個鐵管子裡、鐵管子高速飛行在三萬五千英尺高空」的感覺。我真的這樣做了。整整四個小時，我坐在窗邊看著陸地在我的腳下掠過。我親眼看到小支流匯成大河川，看到曠野拔起成高山，再倏然沈降回平地；小城市、大都會和小鄉鎮，從空中望去全是一片祥和安寧。直到飛機落地的那一刻，我心中對這片國土油然生起了一分前所未有的熱愛，滿心寧靜地踏出了機門。

●我們在自己和別人之間築起了圍籬，也擋掉了真實的剎那

很多我最珍視的真實片刻，都發生在我和別人真心交流的時候——我的丈夫、我的小狗碧珠、我的好友，還有許多第一次碰面的人。兩人之間的真實剎那從何而來？答案是：「親密關係」。

當人我之間的藩籬撤除，便是兩心交會的時刻，親密關係由此而生。我們大多數人都不易與人產生親密關係，如果你有這個困擾，就不會渴望在生活中與人共創真實的剎那。你會覺得沒有安全感，因爲在真實剎那中，人與人之間慣有的藩籬將被拆除；而內心深處的情感若全部曝光，你會覺得赤裸裸地毫無保障。若在過往的紀錄裡，你曾因允許某人進到你的心裡而帶來傷痛，那麼往後你將更不容易無畏地敞開心胸與人親密。

這是我們逃避真實剎那最普遍的方式之一——我們向恐懼屈服，然後逃避或拒絕親密關係。你成了堆砌情感圍籬、建築心防的專家。圍籬把痛苦擋在外面，連真實剎那也

被擋掉了——別人的愛進不來，你的愛出不去，你們怎麼親密得起來？圍籬保護了你，但也形成了一座情感的牢獄，與人真心交流的快樂時光也因此和你絕了緣。

與陌生人交流

如果想要享有更多親密關係所帶來的真實剎那，你不必等到談戀愛或結婚；別忘了，我們可是和五十億以上的人共同分享這個世界呢。可惜的是，有太多規矩規範我們可以與誰交流、何時交流才是恰當、可以交流到何種程度……，這些規矩使我們錯失了許多神奇的心靈交流和幸運的際遇。

在我們這個社會裡，不認識的人我們稱做「陌生人」，我們會刻意繞過他們，避免和他們發生任何關係。在電梯裡不小心撞到人，你會立刻道歉，好像你做錯了什麼事。在餐廳裡有人多看了你兩眼，你馬上會懷疑對方在暗示自己：絲襪可能破了個洞，或是領帶上沾了髒東西；或者你懷疑那人是個精神錯亂的傢伙，而你就是下一個被跟蹤的倒

凡從自己內心深處探索而得的，
必能使你得救；
凡留在內心深處不去發掘的，
終能使你毀滅。

楣者。你絕少會想到：「哦，那個人在看我，他想和我交朋友。」

根據我們的「藩籬規範」，還能和陌生人交談的話題是天氣、體育、娛樂和閒話。你絕對可以和陌生人一起抱怨，因爲你們倆同時在批評別的事情，這會令你們對彼此都有安全感。只要雙方都尊重這道藩籬，彼此就不會覺得不自在。但是這樣的交談，使你們之間永遠不可能有真正的心靈交流，你們也不可能共享任何真實的刹那。

假如你願意與人分享真實的刹那，就能從陌生人身上多認識自己一些，這是熟朋友通常辦不到的。陌生人可以成爲真理的鏡子，反映出你所需要的真相。

在陌生人之間隱姓埋名所帶來的安全感，使我們有勇氣拆開自我的層層包裝，讓長期等待曝光的真實面貌攤在陽光下。我和陌生人有過許多十分美妙的真實刹那——在排隊等待的時候、在小商店裡，特別是在飛機上，因爲我常旅行。讓我和你們分享其中的一個故事。

機上玄機

那天搭上從舊金山飛回洛杉磯的班機時，我已經很累了。連續兩天的演講和電視錄影，累得我不想再開口說一句話，只想利用這段行程靜坐一下或者一覺睡到底。當我走到畫定的機位前一看——鄰座竟然是一個大約九歲、坐立不安的小女孩。「啊，不要

吧，」我心裡痛苦地嘀咕著：「別是個小孩啊！我沒力氣應付了。拜託拜託，最好是她坐錯了位子。」可惜我運氣不好，她沒坐錯位子，我也沒有。

我一坐下來就開始動腦筋，心想怎樣可以不用和她說話。「我可以閉上眼睛，這樣她就不敢來騷擾我，」我想：「或者應該請空中小姐幫我另外找一個座位。」飛機還沒起飛呢，我已經開始不耐煩了。

但是立刻地，我感覺到自己下意識的行爲不對。「注意啊……。」來自心底的聲音提醒著我。有生以來，我曾一次又一次地體驗到「宇宙中沒有純粹的偶然」——現在我會坐在這小女孩的旁邊，冥冥中必有其道理；而我這一次的反應既是這麼強烈，或許其中有更大的玄機等著我去參透。

於是，我開口向貝莎妮自我介紹。這小女孩似乎早就等著我開口，當她看出我的確有心和她聊天，便也開始毫不保留地對我訴說起她的故事。一開始，貝塔妮很興奮地說這是她生平第一次搭飛機，她要去洛杉磯和她的父親會面。她的父母最近離了婚，爸爸和其他兄弟姐妹都搬了去洛杉磯。貝塔妮本來有權選擇和他們一起搬走，但她最後決定留下來陪媽媽。

「這一定是個很痛苦的決定，」我告訴貝塔妮：「選擇和家人分開。」

「是很痛苦，但我覺得我媽需要我，」她神情嚴肅地解釋給我聽：「我媽媽那時候

很可憐。」她告訴我，她母親很年輕就結婚生子，現在覺得婚姻和家庭是她的束縛。「她有很多男朋友，而且他們常常約她出去，」貝莎妮的語氣略帶自豪：「可是我不喜歡這樣，因爲我常一個人在家。」

「我猜妳一定很想你爸爸。」我試著問，她的淚水立刻湧了上來。

「我好想他，也想其他人。我爸爸每天都會打電話來問我好不好。」

「妳都怎麼跟他說？」

「我都跟他說我很好，可是有時候我其實不好……。」

我從貝莎妮的眼裡看到迷惑和痛苦，那是九歲小女孩所不該承受的痛苦，我好心疼。她有超越年齡的成熟……，她也不得不如此。我從她的敘述裡拼湊出完整的畫面——媽媽不安於室，爸爸打官司取得了小孩的監護權，因爲法官認爲媽媽不足勝任。但是充滿愛心和同情的貝莎妮不忍心離開媽媽，於是她放棄了安定的新生活，放棄了父親的保護，放棄了和其他兄弟姐妹一起成長的機會，只爲了讓母親充分感受到，有人還愛著她。然後每天晚上，她獨自一人或和保母一起坐在電視機前，等待著母親結束她和熱戀的對象約會後回家。貝莎妮得不斷地告訴自己：「我的選擇是對的」，才能支撐自己度過一夜又一夜的寂寞。

我的鏡子

我們就這樣一直聊下去。我告訴她，我十一歲時父母也離了婚，當時爲了決定跟誰，我痛苦得像被撕裂了一樣；而由於我不能像同伴們那樣有個完整的家，我一直自慚形穢，常常哭到睡著爲止。「我也是！」她如獲知音。我解釋給她聽，我如何在長大後體會出父母也不過是人，在他們大人的外表下，很可能和貝莎妮一樣，其實還是個孩子。我試著讓她了解她的母親何以如此，也告訴她：母親是大人而她只是個小孩，這並不代表她沒有能力懂得母親所不懂的道理。我建議她要讓父親知道她有多不快樂，不必擔心會教父親覺得有罪惡感，因爲他應該要知道的。我也提醒她，無論如何她得先照顧好她自己，即使這意味著她必須離開媽媽。然後我還告訴她，我曾多麼努力才學會愛自己，才懂得父母親離婚並不是我的錯，也才能爲自己完成一些美好的事。

「妳看看我長大之後，做了些什麼！」我頗自豪地給她看了幾本正好帶在身邊的書——我自己寫的書。

「哇——真的是妳嗎？」她張大了眼睛問。

「不騙妳，真的是我。而且我還上過電視。」

貝塔妮差點從椅子上跳起來，「等一下……，等一下……，」她忽然大叫起來：

「我看過妳！是像歐普拉（Oprah）或傑羅度（Geraldo）那種脫口秀一類的節目，對不對？」

「是的。」

「哇，我的天，我的天啊，我太興奮了！」貝莎妮開心地在椅子上跳上跳下。

「妳知道我為什麼要告訴妳這些？我要妳永遠記住：妳從哪裡來並不重要，重要的是妳要做什麼。貝莎妮，妳是個很特別且聰明過人的女孩，只要妳願意，妳一定能心想事成。嘿，我能做到，妳一定也可以。」

快到洛杉磯了。貝塔妮和我交換了電話號碼，我答應寄一些書給她父母親，也答應送她一份特別的禮物。她靜了下來，小臉貼在玻璃上，靜靜地看著窗外的景色。

突然間，我猛然醒悟。怎麼早沒看出這其中玄機呢？貝莎妮就是我自己！我剛剛在飛機上和九歲時痛苦不堪的自己聊了一個多鐘頭，我把當年渴望有人指點的道理，一股腦兒全說給她聽，指引她一條該走的路，和她分享我三十年來所累積的心得。上帝把我安排在這個「小芭芭拉」的旁邊，雖然是不同的境遇、不同的姓名，卻有著同樣受困的靈魂，我因此得以為自己心靈的舊創療傷止痛。

「因為遇見妳」

有了貝莎妮這面鏡子，我真確地看到自己戰勝了過去的夢魘，看到自己多了一分諒解，更看清楚了自己的目標之一，是要將一路走來所學到的點點滴滴，分享給世上所有的大芭芭拉、小芭芭拉、大貝莎妮、小貝莎妮。我搖了搖頭，不禁讚歎這一刻的完美。在飛機上，貝莎妮傳遞了一些訊息給我，一如我指引了一些道理給她，在心靈上，我們情同姊妹。

就在這時，貝莎妮轉過身來，淚眼汪汪地看著我。

「怎麼啦？」我問。

「沒什麼——只是，今天是我最快樂的一天。」

「爲什麼？因爲妳第一次坐飛機？因爲妳再過幾分鐘就可以看到爸爸了？」

貝塔妮直直地看著我，然後帶著燦爛的微笑回答：「都不是，是因爲我遇見妳……。」

我得到過的所有榮譽、獎牌或全體觀眾起立鼓掌，都不及那個下午貝莎妮說的這句話對我更具意義。她不用多說，卻已給了我最好的報答，這不容易啊！我們後來仍保持聯絡，最近一次的消息是她仍跟母親住，但父親則已搬回洛城，以便就近照料她。

我永遠忘不了貝莎妮。她給我的，是一段最奇妙、最具療效的真實剎那之一。那次碰面之後，我依約送了一隻玩具熊給她，讓她有個可以分享情感和祕密的貼心朋友。

當我知道她爲熊寶寶取名做「芭芭拉」時，我流下了眼淚……。

希望你們讀這本書的同時，也在享受真實的剎那。

希望我能幫你找到一直潛藏在你心中、你卻避而不見的情感和力量。

也希望我能爲你剝開經年累月積下的層層不經心與不在意，好讓你想起此身存在的真正意義。

我絮絮不休地告訴你這些，實在是我不希望你再浪費任何時間。你可能不覺得自己在「浪費時間」，因爲事實上，你的生活可能已過得像是把四十個小時的工作和責任都壓縮在一天裡似的。但是我所說的浪費掉的時間，指的是你沒有好好去體驗的時刻，你不曾細細品味和欣賞的當下，你漫不經心虛度的時光，你浪擲體會真愛、關懷和學習的珍貴時機，你以爲全世界的時間都是屬於你的，可以任你揮霍。

盡情感受餘生

幾個月前，一通朋友打來的電話讓我心碎不已——醫生剛剛宣布她得了癌症。我們在電話裡聊了一會兒，但掛斷電話之後，我仍久久不能釋懷。那天晚上，我和我先生躺

在床上，告訴他這個不幸的消息，也讓他知道那一整天我心緒的強烈波動。我一直在想著這個和我年紀差不多的朋友，想到在這樣的一個夜晚，她孤單地守在自己昏暗的房裡，只有貓咪的陪伴，這會是什麼樣的感受。如果換成是我，此刻我一定在想著自己還有多少日子可活，如果我的癌症無法治癒，該要怎樣度過這僅餘的生命。

「要是我發現自己快要死了，該如何改變我的生活？」我邊想邊問我的先生。

「這要看醫生估計妳還有多少年好活。」傑佛瑞說。

「我敢確定，我絕不會再浪費任何一天，我要盡情感受餘生中的每一分每一秒。」

剎那間，我悟到了一個教人黯然神傷的事實：我，和我的朋友一樣，正一步步接近死亡，只是不是今天或明天，而是在三、五十年後不遠的未來——。

爲什麼總要在將失去一切的時候，才懂得珍惜所有？

爲什麼總要等到恐懼和失落臨頭，心靈才感覺悸動？

爲什麼總要等到垂垂老矣，才學會欣賞自己身體的奧祕？

爲什麼總要在將失去一切的時候，
才懂得珍惜所有？
爲什麼總要等到恐懼和失落臨頭，
心靈才感覺悸動？

爲什麼總要等到配偶走出了大門，才明白自己原來多麼需要對方？

爲什麼總要延宕我們想要的生活方式，以爲全世界的時間都在我們的手裡？

我們活在世上的時間是如此地短暫啊！幸運的話，我們大約有八十年，也就是二萬九千二百天的時間，可以去享受生命以及生活。我們之中有多少人，在嚥下最後一口氣的時候，能夠有資格說：「我很滿意我自己，也很滿意所有我做過的事。上天賜給我的每一寸光陰，我都盡情享受過？」

往往，只有那些已經站在死亡門檻上的人，因爲看得夠清楚，而殷殷叮嚀我們：生命中的每一天都是一份珍貴的天賜禮物。幾年前過世的演員兼導演藍敦（Michael Landon），在去世前幾週接受訪問時，分享了這樣的訊息：

活著的時候，頂好能記住：死亡即將來到，而我們不知道它降臨的確切時間。這能讓我們隨時保持警覺，提醒我們趁著機會還在，要盡情地活著。是該有人常常告訴我們：來日無多，然後我們才可能將生命中的每一天、每一分、每一秒發揮到極致。不論你想做什麼，現在就去做吧！明日復明日，明日何其多……。

我們不該再浪費時間、再逃避真實剎那，相反地，我們應該努力去尋找真實的剎那，不必等到明年，不必等看完這本書，而是現在就起而行。這事一點都不難，因爲：真實的剎那隨時唾手可得。

我們不必大老遠去找真實的剎那。它是如此地近在眼前，近得就像飛機上和你毗鄰而坐的人，或是每天早上爲你端來咖啡的小妹，或是遇到困難向你求救的朋友。

每當你決定專注於當下和眼前的時候，真實剎那就在那兒。只要你給它機會，它將爲你帶來神奇的心靈交流和幸運的際遇。

第二篇

生活憬悟

第四章

自我重生

我在哪裡？我是誰？
我怎麼會在這兒？
這個叫做「世界」的東西到底是什麼？
我是怎麼來到這世界上的？
爲什麼沒有人先問過我的意思？
如果我是被迫參加演出的，
導演在哪兒？我要見他。

——丹麥哲學及神學家齊克果（Soren Kierkegaard）

在人生的旅程中，我們總會經歷到這樣一段時間——不知怎地，覺得自己迷了路，失去了方向和目標感，失去了依恃自我價值和信仰的能力，失去了享受無盡歡愉和喜悅的本事。我們像遊魂似地穿過每一天，心裡隱藏著無聲的疑惑與不安，老覺得日子過得有點不對勁。可不管我們怎麼費心去尋找心底那分不安的根源，卻總是徒勞無功；我們正追逐著一個永遠不會現身的幽靈。

我們嘗試做更多的事、不斷去到新的地方、改變我們的身材外貌、購買各種新產品或換個人談戀愛，然後我們或許會暫時覺得好過些。但是過不了多久，不滿的陰影又回來了，而且比前一次更強烈，我們不禁開始懷疑，是不是自己有了什麼無可救藥的毛病。也許這就是我們聽說過所謂的「中年危機」；也許我們只是不懂得對已有的一切心存感激，並且永遠也不覺得滿足；也許我們命裡就注定了不快樂。

自我的碎片何在？

我們究竟在尋覓什麼？我們努力一片一片地找回失落的自我，因爲失去了這些碎片，便無以體驗真實剎那。

這些碎片怎麼會散落？現在又在何處？

● 父母或是撫養我們長大的人，用他們對我們的期許換走了一些。

●我們親手交了一些給我們在乎的人和我們所愛的人。
●另外一些，因爲害怕別人知道我們的真面目，而被我們自己藏了起來。
●還有一些是單純被自己遺忘了的，只因爲我們太過專注於達成某種理想形象——而不是做我們自己。

缺少了這些碎片，我們永遠體驗不到渴望已久的完整自我和寧靜。我們所亟需的真實剎那也因此難以出現。那麼，我們該怎麼做才能找回所有的碎片？怎樣才能重返完整的自我？我們必須脫離長久以來就很熟悉，但卻不應戀棧的窠臼，回歸本我的天性。我們應該揚棄犧牲奉獻、壓抑自限的生活方式，展開自由無僞的新生活。我們一定要讓自我重生。

在美國，我們所慣稱的中年危機，其實是不折不扣的心靈危機。當我們到達某個年齡，不管是三十、四十或更高的歲數，總覺得應該有一定程度的滿足感。若是這個時候還覺得自己生活得沒有目標、沒有意義，而且享受不到真實的刹那，我們會覺得很不滿意、很不舒服。某個早晨，我們起身對著鏡子，看著自己，然後發現我們並不喜歡鏡裡的那個人。原本冀望所有曾經付出的努力汗水，能爲我們帶來心靈的快樂與平安，到頭來卻大失所望。一生所奉行的規範和信念，竟帶我們走上空泛和虛無的成就。我們不禁自問：「就是這樣了嗎？」這種情況常被曲解爲「恐懼死亡」、「渴望重返青春年少」

或「厭煩一成不變、毫無意外」，但這些解釋都錯了。這種情形所反映的，其實是靈魂的恐慌。

生命的目的指的是：你活著總會有個理由，總有些該是你做的、意義不凡的事情，你的存在是特殊且重要的。

生命的意義則是：每一個當下，生活裡的經驗都能爲你帶來滿足和喜悅，讓你充分感覺到「爲這目的活下去是值得的」。

而一旦找不到生命的目的和意義，靈魂便失去了動力，生活也將失去支撐的力量。你的內心再也無法平靜，日日夜夜不可遏抑地，想抓住什麼人或什麼事物來填補心裡的空虛。你還能呼吸吐納，卻未必真正活著，你錯失了生命裡真實的片刻。

重生的第一步

這或許正是你現在身處的狀況；或許長久以來，你一直以爲你的生活或和某人的關係能帶給你快樂，然而事實上你卻是受縛其中；或許你努力工作了許多年，好不容易坐上了某個位子，卻突然懷疑這究竟是不是自己真正想要的；或許你以爲生活應該無憂無慮了，因爲衷心想望的東西都已到手，卻不知爲什麼仍覺不對勁；或許你已有好一陣子覺得心頭不安，而且到現在都還不知道其所以然；也或許你還年輕，正在疑慮是否該放

慢腳步，停下來好好想想，免得步上父母的後塵，重蹈上一代的覆轍。

要讓自己重生，你要先問自己幾個並不容易回答的問題：

我是誰？

我是不是自己想要做的那種人？

我這一生究竟做了些什麼？

我快樂嗎？

什麼東西能讓我快樂？

若要得到真正的自由，我必須改變些什麼？

在你重生的過程當中，這些問題是必要的陣痛，能將你推向一種自由的新生活。提出並回答這些問題，需要極大的勇氣。因爲你必須認真審視自己內心常被忽略的面向，

唯有牢牢掌握著生命的目的和意義，
我們脆弱的心，
才可能忍受生而爲人
所必須面對的所有痛苦、劇變和挑戰。

不能再逃避自己生命的真實面貌，你得勇敢面對自己的夢想。新生命的誕生從來不是一件易事，而嶄新的生活會是你辛苦走這一遭的最大報償。

所以，如果你和我一樣，正處於讓自己重生的過程當中的話，你就能明白此刻的生命是多麼地神聖、多麼地剛健。一股脫胎換骨的力量緊緊簇擁著你，好像從背後刮起的一陣強風，把你推往該走的方向。就讓自己隨風而去吧！旅程中若因爲速度太快而有一點害怕，也千萬別掉頭，別走回頭路。勇往直前是唯一的出路。一如詩人佛洛斯特（Robert Frost）所言：「走完全程，永遠是最佳的出路。」

迷途之處

我們從什麼時候開始失去了自我？什麼時候我們交出了自我的第一片碎片？答案是從呱呱墜地那一刻起。當我們還是小小孩的時候，我們吸取身邊的人的價值觀和他們的信仰，將之變成自己的價值觀和信仰。最先是從父母開始，他們在言語和行爲之中，展現並傳遞了他們承襲自上一代的傳統和信念。你於是學會如何表達或壓抑情感，如何解決衝突，如何對待異己，如何付出情感，如何實踐信仰，如何鋪陳婚喪喜慶，如何教養子女，如何烹調食物、甚至烹調什麼食物，如何擺設餐具，如何安排假期……，還有數不完的項目。你並不是從課本裡學得這些，而是在生活中耳濡目染自然學會的。

大部分人的思想、行為、走路姿勢、講話方式、飲食習慣或喜好，都不會有意模仿父母的模式，但一切就是這麼自然，如果不是旁人一語道破，我們幾乎辨認不出其間的雷同之處。「別開玩笑了！」這通常是我們不願置信的第一個反應：「我跟他們一點都不像。」或許對，或許不對。問題是，你們的確是那麼地酷似啊！

我們失去自我的另一途徑是：我們接收了來自父母的或其他社會團體的希望、夢想和期許，卻不為自己的希望與夢想留下足夠的空間，有時甚至一點為自己打算的餘地都沒有。你之所以從醫，只因為你的父親是醫生，所以打從小時候起，你就注定了要當醫生；你仍住在家鄉，和父母親上同一個教堂，只因為在你的家族裡，沒有人離鄉背井；妳上了大學，加入母親當年曾參加過的姊妹會，為相同的團體擔任義工，只因妳那羣高中死黨每一個人都這麼做；你二十三歲結婚，接著立刻連生兩個小孩，因為你的哥哥姊姊都一樣早婚。

當然，有些時候你自己的想法會和別人對你的期待不謀而合。但通常的情況則是，

若是你不認真檢視自己的信仰——
如所有成熟的人那般
剔除自己不想要的東西，
你就不算真正長大。

旁人的期許只會將你帶到離自我、離夢想愈來愈遠的地方。幾十年過去，一朝醒悟時，頹然發現：你成就了所有別人對你的期待，但那些卻完全不是自己真心想要的東西。

也許你完成了父母親的心願——當醫生，但其實你從小就夢想著要做一個建築師；而今，你已四十有七，鎮日栖栖惶惶、焦頭爛額。也許你一直偷偷想望離開家鄉，遠赴美洲大陸的另一頭；如今轉眼數載，你已有家有小，動彈不得，哪兒也去不成。可能妳一點都不想念大學，只想去學靜坐、練瑜珈；眼前妳卻發現自己和母親一樣，嫁給同一類的男人、參加同一類的聚會，並且將自己的靈魂深深地埋葬起來。也或許妳隨俗地一畢了業就嫁人生子，如今才三十開外，忽然發現丈夫像個陌生人，孩子是累贅，妳只想甩開一切、什麼都不管。

未經深思而接收旁人的價值觀，會影響我們的人際關係、人生哲學、工作倫理、對下一代的教養和我們對待自己的方式。難怪這麼多人覺得生活裡有些部分總是不太對勁，因爲自我的真面目已經被一層又一層的「你應該」、「你必須」、「你一定要」徹頭徹尾地覆蓋住了。

適應社會的代價

想想美國普遍的文化意識，你就會明白，爲什麼會有那麼多人如此汲汲營營地尋找

歸屬感，這是一般人普遍的心理：不論在政治意識或社會意識上，都要以大多數人的是非觀爲依歸；隨時清楚什麼東西正流行，什麼東西已過氣，什麼是可被接受的，什麼是禁忌。在這樣的環境裡，我們受教育的目的不在認識自我，而在學習適應這個社會。凡異於大多數人而與社會文化格格不入的，便注定要失敗和痛苦。

我十二歲的時候，長得一點都不可愛，也不是那種討人喜歡的金髮女孩，從沒穿過合身的衣服，因爲買不起。全校只有我一個是父母離了婚的。我戴的眼鏡也是全世界最醜的一副，我跟所有的常態格格不入。

那時候，我參加一個每個月一次的社區土風舞社，地點就在我家附近的一座室內大球場。指導老師教我們怎麼跳弧步、怎麼跳恰恰，然後他們會要所有的男生在球場的一邊排成一長排，所有的女生在另外一邊也排成一長排，主要的用意是讓每個男生走過去邀一位女生當他的舞伴。

於是同樣的事情每個月總要重演一遍：我總是眼睜睜地看著別的女孩子一個接一個地被選走，直到剩下我一個。然後，一個名叫馬汀、滿臉雀斑、滿手是汗、很胖的男孩，從球場的那一頭，蹣跚地走到我面前，在眾目睽睽和全場竊笑之下，邀請我做他的舞伴。每當樂聲揚起，馬汀抓住我不情願的手，我心裡總在咒罵自己，爲什麼這麼與眾不同，爲什麼這麼不討人喜歡，我簡直懷疑自己會不會有被大家接受的一天，我多麼想

嘗嘗受歡迎的滋味。

不久之後我嘗到了。從初中開始一直到高中，我變成班上最受歡迎的人物之一，我終於覺得被大家接受了。然而就和任何一個拚了命想得到別人讚賞的人一樣，我害怕犯下任何社會所無法接受的錯誤，害怕因此而喪失了我的地位。於是我只和其他受歡迎的同學做朋友，不管他們是哪一種人，也不管他們到底是不是有趣、值不值得交往；至於不受大家喜愛的同學，儘管有些是我很想深交的，我一概略過，這其中不乏藝術家、音樂家，或經常靜默一旁、不愛出風頭、頭腦卻一級棒的人物。現在說來都覺得有點丟臉，當年的我已變成自己早年不被同儕接納時，最痛恨的那種人——不願和大家排斥的人做朋友。

離開人羣，找回自己

如今回首那段日子，我對自己當時的作爲深感後悔。我寧可錯失有趣的朋友，也不能冒受眾人排擠的危險。求得一分歸屬感、得到眾人的接納，對我來說太重要了，我甚至願意爲此交出自我，以換得幾個肯和我做朋友的人。當然，這些朋友所認識的並不是真正的我，我只把我認爲他們能接受的那一部分，呈現在他們面前；其餘的部分，我藏得很隱密。

畢業時，我那羣死黨全申請了東岸的長春藤盟校，只有我一個選擇了中西部的大學，沒有人知道我爲什麼做這樣的選擇，我自己也弄不清楚怎麼會決定去威斯康辛州，去到這麼遠的地方，遠離一切我所熟悉的人、事、物。直到去了威斯康辛，我在那兒爲自己無端莫名的饑渴找到了解答——原來，我要的是自由！我終於擺脫了多年來以「他人的認可」爲名，束縛著我的所有人事物。有生以來第一次，我嘗試著去探索自己究竟是個什麼樣的人，我踏出了重生的第一步。如果當時仍留在費城讀大學，我可能永遠也找不回我自己。因爲在那其貌不揚的小女孩充滿悲愁的心靈裡，「做我自己」的需求，遠不及求得一分歸屬感來得急切強烈。

所以，馬汀，不論你現在在哪裡，我都要對你說：請原諒我當年的愚蠢，不懂得其實你和我同是天涯淪落人，不懂得你原來也和我一樣覺得受到排斥、沒有面子。我真心希望你和我一樣，已找回你的自尊，我也希望，不論現在誰是你的舞伴，當你執起她的手，她總是抬起頭愉快地仰望著你。

只因爲一個夢想、信仰、欲望或習慣不會得到讚賞、不合潮流、不被期望、沒有人做過，或因爲你不知道鄰居、母親或親戚會怎麼想，你就放棄，這就等於是把自我撕下一片，交了出去。你放棄得愈多，所剩的自我就愈少。等你想要找回自己的時候，你會發現，在層層疊疊旁人價值觀的覆蓋下，自我已經消失無蹤了。當你不能確知自己是

誰，那麼不論是一人獨處抑或與朋友相聚，你都不可能體驗到充滿意義、真實的片刻。

壯士斷腕

當你爲旁人而妥協了自己的夢想和信念，你便如同交出了自己的權力。你的本意犧牲愈多，你的無力感便會愈深。該如何重新索回自己的權力？第一步，重新探尋屬於自己的真理、屬於自己的信念、屬於自己的聲音，把它們重新帶回每一天的生活裡。

嬰兒自出生的那一刻起，脫離了母親的子宮，那條曾以呼吸和血液緊密連繫嬰兒和其第一個家的臍帶，也要從此斬斷。必須要有壯士斷腕般的決絕，嬰孩才得以生存；一旦時機成熟，如果仍留在母親體內，他便不能繼續成長，除非他能及時破繭而出，否則曾經滋養他的地方很快就會成爲毀滅他的所在。

從這個角度來看，讓自己重生的意義便是壯士斷腕，棄絕自我之內不再營養的部分，摒除那些打一開始就非自己主張的信仰、價值和責任。這意味著你要和眾人期待你去扮演的角色說「再見」，重新形塑一個你要做的自己。

詩人愛默生（Ralph W. Emereon）說：「追根究柢，只有自我意志的誠實無欺是最神聖不可侵犯的。」在重回自我的路上，第一站就是真誠。

真誠就是外表和內心一致。你內在的實相——信仰、價值和行爲，會完全無僞地反

映你外在的生活中。你活得愈像自己，你的內心就愈能得到平靜。

誠實地活著指的是：

- 不接受不合理的待遇
- 勇於表達自己的要求和對他人的需索
- 說出自己的道理，即使可能引起緊張或衝突
- 所言所行與個人信念一致
- 根據自己的、而不是別人的信仰做抉擇

活得不誠實是很費力的。內在的心意與外在的行爲不能調合一致，對心智和情緒都是極大的耗損。

你可以想像自己站在一條河上，兩腳分別踩著不同的船。一艘船上是你的信念，另一艘是你的言語行爲，你就這樣腳踏兩條船地順流而下。當然只要兩艘船靠得夠近，你仍安全無虞；然而只要有任何一艘漂得遠些，你就很難跨坐其上了。兩艘船的距離愈

放開依賴慣的安全感迎向新生活，需要很大的勇氣；
但失去了意義的生活又何來真正的安全感呢？
冒險和刺激或許更安全，
因爲激盪中才有生生不息，變異中才有萬鈞之力。

遠，你要同時穩住兩腳的難度就愈高，而一旦距離遠到超出你的駕馭能力，你就只有落水一途。

當行爲偏離信念愈遠，想要快活地過日子就愈難，你內心的緊繃情緒也會愈高漲；繃到極限，你於是無法靈活悠哉。當這種情況到了一定限度，你的身心必然不支，而會出現生理疾病、精神崩潰或情緒失控。

誠實度測驗

以下是全面檢驗自己是否誠實的簡易方法，你可以放下這本書後立刻開始做：

●每一整點，檢查自己在過去的六十分鐘內所言所行，是否有失本意。

像放電影一樣，將過去六十分鐘所發生的一切在腦中重演一遍，注意那些讓你覺得不舒服的地方，把影片暫停，看清楚當時的情節。當先生對妳發表尖酸諷刺的評論時，妳是不是仍裝做若無其事？當朋友批評某個你很關心的人，你是否沉默不語，沒有辯駁？你是不是明知垃圾食物無益健康，且對自己承諾不去碰的，卻仍忍不住吃了一些？

你會非常驚訝地發現自己每天背叛自己多少次——明明傷心，仍要裝出微笑；明明想愛，仍裹足不前；明知不該，卻仍答應去做虧心事；或明明滿心不願，卻仍不敢以真面目示人。

我們假設你做過這個測驗，發現自己平均每個鐘頭裡，會有五次不完全內外一致。我們把這個數字乘上你每天醒著的時間（就算是十六小時），得到的數字是九十。每天九十次的不一致再乘上一年三百六十五天，所得數字是三萬二千八百五十。也就是說，你每年違背自己的價值和信仰達三萬二千八百五十次，你的言行不同於心中所持的意念，每增加一次，你的生理和心理所承受的壓力就多添一分。

如果你已四十五歲，人生的頭八年我們不算入公式中，因爲通常這個時期仍相當純真，還沒有學會世故或討好別人，那麼四十五減八是三十七，三十七年乘上每年三萬二千八百五十次，我們得到的數字是一百二十一萬五千四百五十！你的一生中對自己不誠實、表裡不一致的次數，已達一百二十一萬五千四百五十次。

這就不難明白，何以我們不到三十歲，便對自己感到不安，等到三十多、四十多歲時，常已心力交瘁！如此一來，怎麼會有真實的剎那！我們連自己都活不出真正百分之百的自己，又如何有能力去經歷真實的剎那呢？

如果你從今天起，每個小時做一次誠實度測驗，很快就會感覺到自己在生活的各方面，都開始調整得表裡一致起來。你在快要背叛自己的時候會逮到自己，這時，你有選擇的自由——選擇誠實或不誠實。一個星期之後，你就會感受到比平常更平靜、更堅強。然後，你將有能力品嘗到真實的剎那，其實它們一直就在你身旁，隨時等著爲你帶

來歡樂。

就在我開始寫這本書的時候，我因公事去了一趟紐約。一天下午，我搭的計程車塞在車水馬龍的紐約街頭動彈不得，計程車司機便和我開始聊起天來。當他發現我是個作家，而且正著手寫一本關於過有意義生活的書時，他高興地大歎：「正是於我心有戚戚焉啊！」然後他開始告訴我他的故事。

一個運將的祕密

「妳知道嗎，我以前不是開計程車的，」他解釋道：「我以前是做業務的。那時候當然也開車，不過一個星期總有大半時間是到外地，晚上都不回家。那段日子，我很少看到我太太和小孩，可是我賺的錢可不少喔，而且爲了跟上公司裡其他人，我很拚，業績愈來愈好。我想那時候一定覺得自己熬出頭了。妳懂嗎，我爸爸是做風管的，二次大戰前他十六歲時從波蘭來美國，一輩子也沒把英文學好，可是他有一雙能幹的手。我知道他一直希望我能過得比他好，所以我每次穿得人模人樣，開著車子東奔西走、和人家簽約時，我心裡其實蠻高興的。

「可是大約是十年前吧，有一天，我那最小的兒子過馬路時被車撞了。哦，他現在沒事了，不過事發當時情況很嚴重，最糟的是我太太找不到我。我正在外地跑生意，一

直到車禍的第二天，我才打電話回家。電話接通，我太太一聽是我，整個人就像瘋了一樣。她說我們的兒子可能撐不過去，而我居然在發生這種事的時候完全不見人影，她說她再也不能忍受這樣的生活了。

「我立刻飆車回家——破紀錄地開七個鐘頭的車就從俄亥俄州回到紐約。當我衝進醫院的病房，看到我的小兒子全身裹著白紗布、插滿了管子躺在那裡，我差點昏倒。我太太憔悴得像個鬼，我的小女兒在旁邊哭個不停，那一刻，我悟到，我們家人這樣生活是不對的。我老是不在家，這是最大的癥結，不是嗎？當然啦，我們的物質活過得挺好，我老爸也很以我為榮，可是我們並沒有相依相繫，休戚與共。老天啊，要是我兒子真的在我不在的時候死了，我怎麼辦？妳知道，這是很可能的。所以我當時立刻就做了一個決定——不管付出多大的代價，我都要回歸我的家庭。

「我就在那個時候把工作辭掉，買了一輛計程車。很不可思議的轉變吧，一點都沒錯！可是妳知道嗎？過去這十年可以說是我這輩子最棒的十年。我看到孩子們的成長，他們三個都很爭氣。我的婚姻也保住了，現在我太太是我最好的朋友，十年前我還真天殺的不敢講這個話呢！我們也存夠了錢，在紐約州的一個湖邊買了一棟小別墅。房子不很大，可是每個禮拜五都可以開車去度週末。我跟妳講，我每次坐在門口，看著外面的樹和湖水，真覺得棒透了。妳懂我的意思嗎？」

我懂。我遇到了一個真正快樂的男人。他曾經迷失過，像我們很多人一樣，然後他讓自己重生，爲自己找到了回家的路。

我告訴他，我爲他的故事非常感動，我會把它放進我的書裡，他興奮地笑著說：「我太太一定不會相信！」

「請問，」我說：「如果要你從追求快樂的經驗裡，歸納出一句話來給別人做參考，那句話會是什麼？」

他沉默了一會兒，然後回答：

「你要快樂，就要對某些事學會說『不』」。

「不」的力量

我確信老天有意安排讓我認識這位司機先生，我那時的確需要學習「不」的力量，因爲我是一直依著另一句座右銘生活——

「若要成功，你必須向所有挑戰說：『好，來吧』。」

我對所有找上我的計畫說「好」，對所有的演講機會說「好」；不論什麼時候，我的祕書說要加一場演講，因爲可以幫助更多的人，我都說「好」；不管白天晚上，只要朋友需要協助，我都說「好」。我的電話經常在響，我的行程表從無空檔。聽著司機先

生描繪著他的度假別墅，我簡直想丟開一切，也去買一輛計程車來開！他依照自己的新價值觀，將生活中重要的事重新排列組合，現在他的第一優先是享受真實的剎那，而所有不再對他有益的事，他一概說「不」。

我可以告訴你一句經驗之談——聽來容易做來難啊！說「不」的意思，可能是要你切斷長久以來和你關係密切的人、事、物或想法；說「不」的意思，也可能是做一些別人不會贊成的決定。當然，說「不」的意思，更可能是在你還沒建立起新的價值體系之前，就要你全盤放棄舊有的身分地位與價值觀，然後你將有一段時期處於徬徨的新舊交接地帶——你知道你已不是原來的你，但又還不確定新的自己是個什麼樣的人。

然而每一次拒絕、每一個「不」的背後，其實都隱藏著一個「好」；當你拒絕再做你認爲不對的事情，你其實正是對堅定自己的誠實無僞說「好」；當你拒絕和不能幫助你成長的人繼續做朋友，你其實已做好準備，迎接即將來到的新朋友；當你拒絕爲業績出賣原則與理想，你其實正爲一個新層次的自尊說「好」；當你對別人給你的次級對待

如果我們想要重新發現自己，
想要過純真無僞的生活，
就必須鼓起勇氣
對不再有益於我們的事說：「不」。

說「不」，你其實正對愛自己和保護自己說「好」。

回顧自己走過的路，每一次感情上或心靈上有重要的成長和轉變，一定都是肇始於一聲勇敢的「不」。

我的第一聲「不」

高中的最後一年，我學會了運用「不」的力量。那是一九六九年，我們那所高中對於服裝有一條很嚴格的規定——女生不准穿長褲，男生不准穿藍色牛仔褲。每個人都覺得這規定很迂腐！冬天的氣溫有時會低到攝氏零下三度左右，所有女生卻還必須穿著小短裙和厚長襪，僵冷地走在雪地裡；男生可以穿黑色的和綠色的牛仔褲，唯獨禁穿藍色的。但願當時不會有人以爲我們學校的學生是一堆鄉巴佬！我那時身爲學生代表會的幹事，曾經努力和校長溝通了好幾個月，希望能更改這項規定，校長卻是紋風不動，一點也不讓步。我於是決定發動一次示威抗議！

此刻我已不復記憶自己何以會選擇這件事，來首度表達我拒絕的立場。可能因爲當時正值越戰中期，眼看著我的好友一個個被徵召上戰場，我無力阻止，對一切都感覺無望；也可能因爲我知道幾個月之後，我就要離開這所學校去讀大學，這兒的人對我有什麼意見，我已經一點都不在乎了；也或許我只是厭倦了對什麼事都說「好」，厭倦了小

心翼翼討好每一個人的日子。

示威計畫悄悄地部署了好幾個星期——在預定的那個星期五早上，我們全體女生會穿著長褲到校，男生則穿藍色牛仔褲。只要參加示威的人數夠多，學校不可能把我們全部開除的，我想。耳語在校園裡散布開來，那個偉大的星期五終於來到了。那天一早，我按捺不住想早點看到我們會造成的轟動景況；當然，你也就可以想見，當我發現大部分的同學在最後關頭膽怯退出，仍然依校規穿著正常服裝上學時，我有多麼震驚和沮喪。那天最後只有大約百來人有勇氣向校規表示抗議。

第一堂鐘聲響起後約十五分鐘，校長宣布緊急集合。全校一千八百多個學生聚集在大禮堂。「很顯然地，你們之中有些人不了解『規定』這個字的意義，」校長平板單調的聲音，在我的耳際嗡嗡作響：「我注意到今天早上有一小撮激進的同學，想要發起示威活動，抗議我們關於服裝方面的規定。這種違反校規、破壞秩序的行爲，我們絕對不能容忍。所有違規的同學，請你們回家去，換好了衣服再來學校，其餘的同學照常上課。如果有人知道是誰在幕後策畫指使，可以來見我或是副校長。」

以「不」獲勝

現在回想起那時的情形，實在是荒謬得可笑——我們那位校長居然在我們要上大學

之前，還死硬地想控制我們到最後一秒，而學生們竟然也怕成那個樣子，全無勇氣反抗；而我自己，覺得每一個原先承諾支持的同學都背叛了我。不過當時我可一點都笑不出來，我只覺得生氣——氣當權者不尊重我的想法，氣我的朋友不能勇敢一點。

沒有一個人因爲這次示威抗議被開除，但我仍然爲籌畫這次示威而付出了代價。幾個月後的畢業典禮上，老師們原本告訴我會頒給我的獎項和獎學金，一項都沒拿到，另一個從不對校規質疑的女孩反倒囊括了所有的獎。

我還記得當時戴著禮帽、穿著禮服，和其他三個學生代表會的幹事一起坐在台上，聽著擴音器裡一遍又一遍傳出另一個女孩的名字——不是我的名字，台下眾人不斷地交頭接耳、竊竊私語。我簡直可以聽到家長們是如何以我爲例，在教訓他們的子女：「你看看，這就是不聽話的下場！」

我不能說那個時候自己不傷心、不失望，畢竟我曾爲那些榮譽和獎項付出努力。可是無論如何，我真正得到的卻比那些獎重要得多：我發現了自己的聲音，還找回了多年來爲適應社會而深深埋藏的自我。由於終於大聲地說出自己相信的道理，我爲自己的重生跨出了重要的第一步。

而末了，「不」的力量還是得到了最後的勝利。我畢業之後第二年，校服的規定終於改了，學生可以穿任何衣服上學了。這還不是最後的結局；高中畢業後第二十一年，

也就是四年前，我收到一封母校來的信，信上說他們想把我放進學校的名人廳，和其他有名的校友如棒球明星賈克森（Reggie Jackson）等人排在一起，因爲，套用他們的話——「我們以妳爲榮」。我打電話給我的母親，我們在電話裡足足笑了十分鐘！我後來沒能趕回母校參加那次的典禮，也沒能在學弟妹面前接受我的榮譽，但是相信我，如果我趕得回去，在同一個禮堂致詞時，我一定會說出二十一年前沒機會說的話：如果教育能教我們重生爲一個獨立的人，而不是模塑我們去順應旁人對我們的期許，那對我們會更有用些。

堅守信念

在我們走向完整自我的旅途中，重新發掘並堅守自己的信念是首要任務之一，由此我們方能誠實無僞地生活，並體會更多真實的刹那。以下是一個我很喜歡的關於誠實的小故事。從哪裡聽來的已不可考，但每有機會我定會重述：

二十世紀初，俄羅斯帝國境內一個小村落裡，住著一個猶太小男孩。那時候，沙皇的軍隊——哥薩克人，正在各地對少數民族的猶太人進行大規模的迫害。每天市集最熱鬧時，全村的人都聚集在大廣場上交易買賣，哥薩克人就會在這個時候，騎著高大驃悍

的馬來到市集上，打翻猶太人的貨物、商品，接著宣布沙皇限制猶太人自由的最新敕令，然後騎著馬揚長而去。

小男孩和祖父的感情非常親密，他的祖父正好是這個村子裡的老教士。村子裡的猶太人都相信，他們的教士和猶太人的祖先亞伯拉罕或摩西一樣睿智。小男孩每天都會陪祖父從他們簡樸的家散步到市集去。哥薩克騎兵總是揮鞭而至，掀起漫天塵土，宣讀當天的敕令：「今天起，任何猶太人購買馬鈴薯！一次不得超過五個。」或是：「沙皇有令，所有猶太人必須將他們最好的牛立刻賣給國家。」

每天，同樣的故事不斷重演——老教士和其他人一起聽著沙皇的敕令，然後他向那些哥薩克人揮舞著他的枴杖，大聲叫道：「我抗議！我抗議！」然後其中一個哥薩克人就會騎著馬過來，用馬鞭狠狠地抽向老教士，臨走之前還要吼一聲：「閉嘴，你這老蠢貨！」老教士捱不住鞭子，就會倒在地上，他的教徒們會衝過去扶他起來，幫他拍掉衣服上的泥土，然後他的小孫子再攙著他回家。

日復一日，月復一月，小男孩驚悚地看著這一幕再三重演。終於他再也忍不住了，有一天，護送滿身烏青的祖父從市集回家時，小男孩鼓起了勇氣問：「親愛的老教士，」小男孩的聲音帶著點微微的顫抖：「您明知道那些士兵一定會打您，為什麼還要每天在他們面前抗議沙皇呢？您為什麼不能保持沉默呢？」

老教士對孫子慈祥地笑道：「因為明知是錯的事情，如果我不大聲抗議，我就會漸漸和他們一樣了……。」

說出你所相信的真理——它定會帶引你一步步找回自己。

航向完整的自我

和舊日的自己說再見，心中應該始終存愛。畢竟，生之過程也是始於九個月前的一次愛的行動。也因此，航向完整自我的旅途，不該是對你自身過往的否定和推翻，而應是對你今後前途的肯定與確認。這不應該是認定你生命中好與壞的問題，而是要找出什麼因素對你有助益、什麼因素使你停滯不前。你想開闢一條新的路徑，並不代表走過的舊路是錯的。你找到新的價值觀，也不意味著舊有的價值體系便是陳腐無用。

我們一定要學會說「不」，但不必把拒絕的事物當成是錯的，而我們不曾早些拒絕，也不必然就是錯。

為了成長，當你必須對心所深繫的人和事說「不」的時候，要做到不帶批判地掉頭而去尤其困難。有時牽繫其間的感情是那樣地強烈，你害怕無法在心中仍深愛的情況下離開，於是你企圖扼殺那分愛，好讓自己有勇氣決絕而去。我看過很多人這樣做——他

們知道是離開的時候了，但情意猶濃，卻要分手，總是令人傷痛，於是告訴自己種種理由讓自己去恨對方，如果問題出在職業上，就恨那份工作。然後，離開變得容易多了，因爲可以少去一分失落的痛苦。然而到最後，自己精心培育的愛也將被掠奪殆盡。

要改變你的生活，不必非得在過往裡找到什麼錯誤不可。你的改變可以是純然的「時候到了」。

辭掉電台節目主持人的工作，是我碰過最爲難的事情之一。那是一個每天在洛杉磯播出的節目，我連續主持了兩年。在每天的節目裡，我盡力解決聽眾打電話來提出的問題，節目做得非常成功。我和聽眾之間有一種非常特殊的關係——當他們遇到委屈不平，我會想保護他們；當他們有了成功的突破，我爲他們欣喜；當他們遭遇不幸，我和他們一同哭泣。他們就像是我的家人，我也像是他們的家人。

一天晚上，我夢到電台改變經營方式，成爲純新聞台，並且解雇所有節目主持人。在夢裡，我告訴我先生這事，而且我說：「這樣正好，我就不必辭職了，也沒有人會怪我不再繼續做節目了。」第二天早上醒過來，我還記得這個夢，當時我就知道我該歇手、離開這個節目了。

無畏無懼

我的夢透露出我的害怕——怕令支持我的聽眾失望，而且我是一直那麼熱愛這份工作，簡直不能想像我會對用心經營了那麼久的事業放手離去。如果我不喜歡這個工作，離開便一點都不難。但是我更清楚，繼續做下去固然可以幫助更多的聽眾，對我自己卻不再有助益。我盼望有時間能多寫一些東西，多一些時間旅行，接受更多新的挑戰，而這份電台的工作並不容許我這麼做。

當我在最後一集節目裡向聽眾道別的時候，我哭了，我的聽眾也哭了。我收到幾千封信要我回去主持那節目，有些甚至責成電台，要求他們無論如何都要把我留下。我的辦公室還接到好幾通憤怒的電話，指責我背棄了忠實的聽眾。我默默地看著這一切，心底卻很明白自己的選擇是對的，因爲儘管全世界的人都認爲我該留下來，我自己卻知道我的心已經不在那兒了。

這種遵循自我意志卻激怒眾人的事，不是第一次發生，當然也不是最後一次。憤怒的旁人要我留在原地，不是爲了我好，而是爲了他們好。於是我已經習慣了這一次又一次伴隨新生而來的陣痛，習慣了因撕裂而帶來的必然痛楚，習慣了牽扯著不讓我離去的力量，也習慣了「如果你走了，我們就不再愛你」這類話語裡的誘惑；而每當我跟著自

己的心意走，結果新生的我總會比想像中出落得更覺完整和自在，爲我帶來許多珍貴真實的時光的，便正是這一次又一次的新生。

一九三六年，洛克斐勒基金會總裁佛斯迪克（Raymond B. Fosdick）說過：

值得過的生活是冒險的生活，這種生活的最大特色是無畏無懼。無所畏懼於旁人的想法……，絕不會為了鄰居而調整自己的步伐或目標。擁有自己的思想，讀自己的書，築自己的夢，只聽命於自己的良知良能。隨興所至，眾人或喜而近之，或驚而遠之。而唯有過著冒險生活的人，才能在發現自己孑然一身時，依然無畏無懼。

我希望你們讀到這一章時會覺得有點焦急——急著檢查自己的生活，然後發現原來你對自己認定的價值標準並非完全誠實無欺；急著想做一些改變，想嘗試一下逃避了許久的冒險；急著要去找回失落的自己；急著重拾遺忘已久的夢想；急著要得到更多無僞的真實剎那。

你知道，你可以不受任何限制地去做這些事情。你可以重塑你自己的生活，毋需等待，現在就可以開始，放下這本書立刻開始。

如果我告訴你，創新生活並不需要辭掉你現在的工作，也不必離婚，更不用變賣所

有家產搬到鄉下去住，這樣你是不是覺得舒服一點了？創新生活可以是——以不同的態度和方式去面對同樣的事情。可能是走另外一條路去上班，也可能是不必因爲你媽媽當年每天下午五點半開始煮飯，所以你也非到了下午五點半才開始。就在今天，也或許是明天，你會碰到成打的機會去做不同的選擇，給你那迷失的自我一個發聲的機會吧，或者讓你不爲人知的那些面向露露臉吧，再不然嘗試一下從前的你爲顧及形象而不敢做的事——穿上以前不敢穿的衣服、說些從前不敢說的話吧！

你是誰？

在開始你的新生活之前，這兒有幾個問題讓你問問自己。我設計這些問題，希望它們能成爲打開你心中隱蔽世界的鑰匙，而不是些有明確答案的簡答題。仔細想清楚每一個問題，把它們深深地埋進你的心裡，如同埋一顆種子到土裡那樣，然後耐心等待，讓答案慢慢滋長、呈現，千萬不要揠苗助長。

這些問題也值得你和你深愛的人一起深入討論，或自己用紙筆娓娓道出。當你的內在漸漸轉變，當你慢慢尋回更完整的自我，這些問題的答案也將隨著改變。一旦你開始自問這些問題，航向自我、航向真實剎那的旅程便啓航了。問問自己：

一、我在哪些方面的表現並非出於自我意志，而只是承襲了和家人類似的行爲與態

度？（人際溝通、愛與情感的表達、衛生習慣、工作態度、政治信仰、心靈信仰等方面）

二、我的家人如何對待或評斷和我們不一樣的人？我如何對待和我不一樣的人？和別人不一樣的時候，我覺得自在嗎？

三、爲了滿足別人對我的期許，而被我犧牲、抹煞或耽擱的夢想和信念有哪些？

四、不論過去或現在，我有哪些部分因爲害怕別人不能接受而隱藏了起來？我的哪些部分，甚且連自己都不認識了？

五、不論過去或現在，我如何爲了迎合大多數人而妥協了自己的信念？

六、在過往的歲月裡，有哪些事是我不十分情願去做，卻又覺得應該去做，而最後還是做了的？

七、此刻手邊有哪些事是我不十分情願去做，只因覺得應該做，而正在做的？

八、我有哪些生活上的習慣其實是反映著別人的信念，而非我自己的信念？

九、我自己的信仰和價值觀是什麼？如果我將它們百分之百地實踐，我的生活會呈現出如何的面貌？我身邊最親近的人會如何反應？

十、我是依著自己的意願而生活，或是依著別人的意願？我必須做什麼樣的改變，才能使我的生活更接近我想要的型態？

十一、我該怎麼做才能找回自我被埋藏的部分，並重新在生活中實踐？

十二、我必須捨棄什麼東西，才算是真正的成熟？

十三、我快樂嗎？什麼事物能讓我快樂？

十四、要獲得真正的自由，我必須做什麼？

一位自納粹大屠殺中生還的作家，在改寫一個古老的猶太故事，以獻給諾貝爾和平獎得主魏索（Elie Wiesel）的作品中有一段話：

當你結束一生去到天國，我們的造物主不會問：「你怎麼會找不到這件事或那件事的解決辦法？你怎麼沒有成為民族救星？」在那重要的一刻，我們唯一要回答的問題只是：「你怎麼不曾做你自己？」

你是世間獨一無二的。以前不曾有過像你這樣的人，將來也不會再有；你一點也不是平凡無奇的；如果你覺得自己很平庸，那是因爲你把自己最有特色的部分藏了起來，可能連你自己都已經忘記了這些部分的存在，因爲你已經好久好久不曾見過它們了。

但是，聽啊！那是來自你心裡的聲音，它們正聲聲呼喚著你，它們在哭喊著要喚醒你的回憶，要再次成爲你的一部分。「放我們出來，」它們在你耳邊低語：「我們能帶

你走上回歸完整自我的路。」

你已聽到呼喚，你已感覺到自己的變化，於是你知道，重生的時刻到了。是開始誕生前的陣痛時候了：

把不再有用的東西，
從你的心裡統統清出來，
為重現的靈魂留出空間，
然後放開心胸自在行走。
記著：該怎麼做你已了然於心，
怎麼走來的，就繼續怎麼走下去……。

第五章

工作與差事

你的任務是要去找到你的天職，
然後，將你自己全心奉獻在工作上。

——佛陀

不是只有在週末才碰得到真實的剎那。它們不會專爲特殊場合而保留，可不像有些衣服只在週六晚上或節慶場合才穿。真實的剎那不受限於海邊的散步、清晨的單車運動或和深愛的人溫柔擁抱，它們遍布在你生活中的每一個角落，當然也包括了你的工作。

你每天醒著的時間，至少有一半是花在工作上，不論這工作是得踏出家門，如業務員；或就待在家裡，如主婦。假如工作不能給你快樂，這段時間可就十分漫長了。這就是爲什麼這麼多人每天下了班回到家，或做完了一天的家務事，看起來就像是給大卡車碾過似地不成人樣。做一些你覺得很無聊的事是特別累人的，尤其是你知道，第二天你又得再做一遍的時候。

一天的盡頭，你枯坐在電視機前，握著遙控器一個頻道跳過一個頻道；你打開冰箱，無意識地盯著冰箱裡的東西；你下了班，還沒回家就先到路口的酒店去，你說要喝點東西，好「放鬆一下」……。你知道，這是你饑渴的靈魂在作祟。你真正要找的，不在任何電視節目裡，也不在冰箱的食物盒裡，更不在啤酒杯的杯底。你的靈魂是如此饑渴地想知道：你投入工作的寶貴時光並沒有虛度，不僅是舉足輕重，且有其無可取代的價值和意義。

心靈饑渴的時候，如何能歡歡喜喜地回家和妻子分享心中的愛意？如何能充滿激情地擁抱妳的丈夫？又如何能在夜裡甜夢深眠？

找到真正的天職

有時候我們覺得很難找到真實剎那，關鍵就在我們的差事。你如此看待自己：「我只是個超市的櫃台出納，這個差事怎能滿足我的心靈呢？」答案是：這個「差事」（job）的確不能保證你能享有真實剎那，但你的「工作」（work）卻可以。

●你的肉體仰仗著「差事」才得以存活，「差事」是你和家人餬口的傢伙，它是你所選擇的一門專業，是你所培養累積的技能。

你的「差事」可以是一個油漆匠、水管工人、電腦程式設計師或是一個考古學家。

●你的精神倚賴著「工作」才得以延續，那是使你的靈魂得到飽足的主要食糧。它是你在這裡所要學習獲得的啓示與智慧，是你這趟地球歷險記的藏寶圖。

你的「工作」就是你人生的目的。

而你人生的目的是：學習如何待人以誠，學習如何自重並包容自己的不完美，學習

靈魂的糧食是
喜悅、愛和讚美歡慶……，
享受不到真實剎那的工作，
會使靈魂枯竭、饑渴。

寬恕，學習勇敢，學習信任，學習愛。

工作的另一個說法是職業（vocation）。很多人以爲「職業」這個字指的是你現在的工作職位，或是你所選擇從事的行業。實際上，這個字是源於古拉丁文vocatio，原意是一種召喚或使命感。所以「職業」這個字正確的解釋應該是指適才適性的天職。

「上天派給你的工作」

每一個人在這世上都有一份使命，這份使命會對世界有其獨特的貢獻，值得我們與所愛的人及一起生活的人共同分享。你的使命就是「上天分派給你的工作」！上天派我們來做什麼樣的工作呢？

- 與他人親切相待；
- 保護地球；
- 盡情享受上天所創的神奇天地；
- 珍惜我們在世爲人的時間，不斷學習；
- 愛己愛人，接納自己也接納別人，如同上天愛我們那樣；
- 隨時記住自己是誰。

你不必爲上天安排的工作做任何準備，也不必通過任何資格檢定。你生而爲人，有

形有體，就表示你已擁有這份工作！至於如何把工作做好，那是「在職訓練」的事。

你若不知道自己人生的目的，或不知道自己真正的天職，你很可能會憎恨你每天要上的班，或是覺得入錯了行，因爲你會期待這份工作能飽足你的靈魂，但其實它不能，上班就是上班。當然，有些行業會較其他更適合你一些——你有責任爲自己找到最能樂在其中的一行。但是光就你所認爲的「平庸」、「無聊」、「毫無魅力」這些原因，並不能構成「你不能好好完成天職」的藉口。要有目標地生活下去，不必非得做個牧師、老師或作家不可。

記得我那位司機朋友嗎？他的「差事」是開計程車。他的「工作」、他的使命則是要和家人及所有他遇到的人分享愛，並且要隨時記住在這樣的生活中，什麼才是最重要的。就我遇見他時所看到的，他顯然在「差事」與「工作」兩方面都做得很成功，而他正是在做他的差事時，完成他的工作與使命。他是如此地以誠待我，爲他的差事賦與了豐富的意義。

香奈兒公司創辦人香奈兒（Coco Chanel）曾說：

當一個人只立志做大人物，而不立志做大事後，便不會再去關心他的損失有多少。

一旦你找到了屬於你的使命，你便隨時都可以爲它努力——不論你正在蓋房子、賣鞋子或正在爲家人煮晚飯、教兒女做家庭作業。你可以在任何地方爲它效勞——在店裡、在電話上、在街頭……，甚至在計程車裡。

從長處找起

我們每一個人都有一份屬於自己的天職，而不是只有教師和傳教士才有。我沒辦法告訴你，你的天職或真正的使命是什麼，這有待你自己去發掘。事實上，這就是你第一階段的工作——你得找出自己的人生目的、使命和天賦。不過我可以給你如何起步的提示：從自己的長處著手，那些使你與眾不同的特色或能力，很可能就是你的天職所在。

也許你與眾不同之處就在於你的文字表達能力，或是你安撫人心的力量，或爲人帶來歡樂的本事，或是擅於將各種狀況化繁爲簡。也許你的天賦是你的嗓音、有力的雙手、美感鑑賞力，或總是能看到別人優點的一顆慧心。如果你實在不能確定自己的天賦是什麼，去問問認識你的人；許多時候，旁人會比我們自己更早看出我們的天賦和使命。

宇宙中萬事萬物都有其存在的目的，壯翅之於大鷹，使能翱翔天際；顏色之於玫瑰，使能招蜂引蝶；我們的身體每天都需要數小時的睡眠休息，一如地球每天總有數小

時轉離太陽——我們的光熱之源，而當我們再度活力充沛時，陽光也將再次普照大地。從天體的自然運行到人體的血流經脈，物理世界的每一個環節都反映出有一個更高層次秩序的存在。

你是宇宙的一部分，你是大自然秩序中的一部分，你的存在和你的本質定有其道理。你之所以爲你，冥冥中自有目的。上天賜給你獨特的稟賦和能力，好讓你能完成你獨特的工作，這其中全無巧合。

你的羽翅已豐，正好足夠圓成你的人生目的。

金錢並非唯一標準

爲什麼這麼多人對自己的使命渾然不覺，而拒絕承擔天職呢？因爲我們誤以爲唯有努力賺大錢，才不枉一生的精力與時光。我們貢獻一己的心力，卻以所得的錢財做爲世界共通的、衡量報償的唯一標準。

留心自己愛做些什麼；
留心能帶給自己快樂的是什麼；
留心能使自己感覺平靜的是什麼；
你的天職就在那兒，等著你去擁抱它。

我有一個朋友在一家大公司裡當經理，每天要面對處理不完的公文和開不完的會。他的薪水不低，但他覺得沒有什麼成就感。真正能滿足他的，是他自稱爲「外務」的活動——和中低收入家庭的兒童在一起。十年來，他是無數小男孩的義工大哥哥，每逢週末教低收入社區的小孩子打籃球，每年爲貧窮兒童的露營週籌款也不遺餘力。

最近我們通了一次電話，他告訴我，他正考慮辭職。「我覺得我對公司而言，好像是可有可無，對社會也沒有什麼貢獻，」他抱怨道：「我想我應該再回學校進修，然後去當個輔導員或老師。我已經三十七歲了，而我的工作不能給我一點快樂。」

「可是你已經是輔導員、是老師、是籃球教練了啊，」我提醒他：「只是你都不曾在這些工作上拿錢而已。如果這些工作是可以賺錢的，對你會有很大的差別嗎？」

我的朋友一時啞口無言。因爲他不曾以輔導員老師等職得到過任何金錢方面的報酬，所以他一直不覺得自己其實活得很有意義。他以爲他在那家大公司的職位才是他的正業，而爲孩子們做的一切不過是興趣消遣。事實上正好相反——他爲孩子們做的一切才是他真正的專業，而白天那份讓他得以謀生的差事，不過是業餘消遣罷了。

「所以妳的意思是，我現在的狀況沒有什麼不好，」他說：「需要改變的只是我自己的看法？」

「對。」我同意：「如果你覺得能讓你好過一些，你不妨這麼想：你在公司裡的那

份差事，是讓你有能力維持日常開銷，然後可以無後顧之憂地完成你的使命，去做那些孩子們的守護天使。」

你可能和我的朋友一樣，擁有一份與天賦使命不太相關、甚至毫不相關的差事，其唯一的功能就是解決你生活上的財務問題。你可能是一位執行祕書，但是你真正的工作是組織教會的唱詩班；你可能是一位會計師，但真正的工作是養育你的孩子；你或許經營房地產生意，但真正的工作是鼓勵你的朋友，使他們能發揮所長。

在生活中實踐

要讓別人知道你真正的工作是什麼。下次如果遇到新朋友，當他們問你：「在哪兒高就？」告訴他們實情：「我的工作是學習如何善待自己和他人，同時我靠爲人理頭髮維生」，或是「我真正的工作是母親和妻子，投資顧問則是我謀生的行業」。

當你爲使命工作，真實剎那便會降臨。如果說找出自己的使命是你第一階段的工

努力做事以換得財富，
並不表示你活得有目的，
也不表示你完成了上天賦與的工作；
努力之後能換得喜悅和滿足才是。

作，那麼第二階段就是，學著在每天的生活中實踐你的使命。能在每天的例行差事中，創造出更多的機會去分享人生，你就能擁有更多的真實刹那。也許你是一位老師，有一個小朋友跑來找你哭訴他的委屈，你適時給了他安慰，讓他知道你能了解而且關心他的感受，這一天對你來講，立刻變得意義深長；這其中的意義不是因爲你去上了班，而是因爲你在你的職位上實踐了天賦的使命。

再舉個例子，你在一家規模頗大的工廠任職，一天下午你花了十分鐘説服老闆雇用你的一個朋友，他已經失業了好一陣了，家計已陷入困境。這天傍晚，你帶著滿臉的笑容下班回家——在你的職位上，你找到一個爲使命工作的方式，你覺得事情很圓滿。

假如你謀生的差事有很多與人交涉的機會，那麼你便更容易有機會每天爲自己創造出一、兩個真實的刹那。任何與人溝通的時候，只要你超越一般表面且膚淺的方式，與人真心交往，你就會擁有真實的刹那。

每當你與人分享愛，你便活得很有意義。

以下提供一些有助你在每天例行的工作裡，找到更多真實刹那的祕訣——條列出能幫助你實踐人生目的、且可以融入家務或差事中的各種活動、行爲及態度。把這張單子當做備忘錄，當你渴求真實刹那時就拿出來，選出其中一項來做，創造立即的成就感。

我建議你抄一份隨時帶在身邊，再貼一份在案前或冰箱上，不時拿來看一看。下面

幾項摘自我的清單，或許可以給你一些點子，以便列出屬於你的單子：

- 與人分享愛的片刻
- 欣賞周遭環境中美好的事物
- 學習新知
- 隨時找機會讓別人感受他自身的價值
- 和狗玩耍
- 花幾分鐘在院子裡觀察花草的生長
- 躺在吊床上讓微風輕輕拂過你的臉
- 停下腳步，想想自己的目的和自己的行為

當差事有害於你……

差事的本身是什麼並不重要，重要的是你如何去做它。如果你謹慎從事，如果你知足而行，都不失爲謀生的好方式。你的行業不必非充分反映你的使命或真正的工作，但是，它也不該是一份有害於天賦使命的差事。

你不可能把自己的生活分成幾個互不相干的部分，你不可能從事一份於你的幸福有

害的工作，還同時能避免這份工作影響你的人際關係、健康和平靜的心情。如果你的工作已將你遠遠帶離了人生的目標，則每天下班時要把自己拉回生活的正軌上，將是一件十分困難的事，如此經年累月地過著雙重生活，恐怕人生的目標感終將蕩然無存。

走筆至此，想起一位在洛杉磯娛樂圈工作的朋友，她的老闆是圈內響噹噹的人物。她本身的職務多姿多彩，曝光率極高，收入之豐當然更不在話下。一切都好，只有一個問題——老闆待她的態度十分惡劣。他是個粗魯無禮、滿口髒話、不成熟也不體貼的人。每次我這個朋友打電話來，或我們碰面一起吃午飯，圍繞的話題永遠只有兩個：她痛恨她的差事，以及一直找不到如意郎君；至今仍小姑獨處，令她挫折。

這樣的抱怨我已聽了許多年了。到上星期，我終於受不了了。「妳有沒有想過：妳始終找不到可以嫁的好男人，可能跟妳一直待在不健康的工作環境裡有關？」我問她。

「這個話我聽得很不舒服，不過請妳繼續講下去。」她愁眉苦臉地說。

「好。不管妳如何覺得『這只是吃飯的傢伙而已』，事實上妳每天花上八個小時所做的事，幾年下來，已經影響了妳的自尊和妳對生命的期待。妳在工作上的關係如此地不健康，在這種情況下，我看不出來妳會有發展出一段真正愛情的希望。」

「可是這麼個差事實在不錯……。」她回道。

「不管它付妳多少薪水，」我提醒她：「如果對妳沒有益處，再高的薪水也不會是

個好工作。」

不為差事傷自尊

如果你的差事對你沒有益處，換個差事。畢竟，留在原職而挫傷自尊、心口不一，這樣的代價遠高於換差事所帶來的一時的損失。

美國女歌手密德勒（Bette Midler）曾說：

我想多數人的人格都是分裂的。我們的身體裡至少有兩個敵對的人，一個想要退隱山林種番茄，另一個卻想成為一尊受人膜拜的偉人雕像，矗立在那兒，愈來愈膨脹，愈來愈膨脹，直到脹破為止。

若你錯把謀生工具當人生目標般嚴肅看待，你可能會真的把自己搞得一團糟。你會

如果在謀生的差事上，
你必須妥協你的信念，必須隱藏你的真我，
或做出有違誠實原則的事，
那麼那份差事就是你的靈魂每天死去八小時之處。

做得太認真，對任何要求都無法說「不」；而當你一旦相信別人的差事都不及你的重要，或相信你是唯一能擔當這職位的人，或真以爲沒有了那分不可思議的貢獻、地球就無法轉動的話，那麼你真該退隱山林種番茄去了，至少也該休個特長假，好讓你恢復神智，弄清楚自己真正的目標。

把謀生的差事太當一回事，顯示你若非不知道除了上下班以外，還應該有一個人生的目標，就是你已忘了你的大目標是什麼了。你一旦錯把差事當人生使命，便不能放開心情享受上班的樂趣，因爲你會把每一天工作流程裡點點滴滴的芝麻綠豆事，都當是天大的事來處理。當然，我的意思並不是說你上班應該漫不經心，也不是教你不能要求完美。你不應該漫不經心，你也應該力求完美，我的意思只是——別爲了一份差事，連自尊都不顧了。

就算你這個月賣了二十五棟房子，或談妥了三筆大生意，或從別人手裡搶到了一份合約，或是輕輕鬆鬆把小孩和家務料理得妥妥貼貼……，這些都不能代表你的內在有多高明——起碼不比一座房子也沒賣掉、丟了合約或小孩完全不聽管教時候的你更高明。能夠明白這一層道理，那麼下次遇到事情不順心的時候，或許你可以不那麼苛責自己、同事和客戶了。

容易迷途的一羣

這可是我親身的痛苦經驗。有很多年的時間，我一直把我做爲精神和感情導師的差事和人生的目標混爲一談，給我自己帶來很多不必要的緊張和煩惱。好在我終究還是走了出來，現在的我頗能了解，那時候怎會陷進這種錯誤的想法裡無法自拔：有些行業本身看起來就像是神聖的天職。醫護專業人員、老師、傳教士、政治家、學者、詩人、專爲喚醒人心的演講者——我們這種人都比較容易相信：自己是少數得以結合差事與人生使命的幸運者。我們不必爲週末的人生目標傷腦筋，可以在每天的例行公事裡，就實踐人生的目標。能被上天挑選擔負如此重責大任，我們覺得受到無上的榮寵！這世界怎麼能夠沒有我們呢？

從踏上講台的第一天起，我就真心真意地相信：我的差事和我的人生目標就是，要儘可能幫助更多的人，爲他們療傷止痛，打開他們的心扉，幫助他們在生活中得到更多的愛。我看到身邊有許多人承受著很大的苦難，我願意用我的智慧和上天賜給我的能力去幫助他們減輕痛苦，爲這個世界帶來一番不同的氣象。

我當時不了解的是，因爲相信自己人生的目標就是要幫助人，而且我的差事就是要去實踐這個目標，結果我縱身跳進了自己設下的苦惱陷阱裡。這些苦惱包括：如果我實

在幫不了某人，怎麼辦？是我擔負使命的能力還不夠嗎？有人不要接受我的幫助，又怎麼辦？是因爲他們不在我的使命範圍內嗎？有生之年幫助的人還不夠多（姑不論我所認爲的「夠」是多少），怎麼辦？是不是表示我沒有達成上天交付給我的任務？我是不是有負上天所託？

於是我變成一個過度狂熱的先知——愛的先知。我不僅要求人們要成長，而且要他們非成長不可，如果看到他們有抗拒的情緒，我的內心就會挫折無比。難道他們看不出來我是爲他們好嗎？他們怎能拒絕尋找自由的機會呢？一旦我發現我輔導的個案進步得太慢，或只是不夠快，我會覺得很不耐煩。是什麼事情讓他們耽擱這麼久？難道他們不明白，命運掌握在他們開竅的速度上？他們爲什麼就跟不上我的腳步呢？

我當然不會向任何人洩漏我的這些情緒，但我知道他們還是感覺得出來。偶爾總會有人告訴我，他們害怕不管再怎麼努力，我都覺得他們做得不夠好。我聽到這些話的時候，非常驚訝。他們打哪兒來這種念頭？我愛每一個人，真心希望看到他們的進步，他們怎麼能說覺得被責難呢？當時的我不明白、我的學生也不懂的是，因爲我認爲我的人生目標是要拯救這個世界，所以努力的過程中任何一點瑕疵，我不僅會覺得那是我個人的失敗，而且是辜負了全世界。

不快樂的工作狂

當然，世界尚待拯救，個人怎可輕言休假？於是我成了工作狂。有人還陷在痛苦深淵中等待援手，我怎忍心去度假？若一對夫婦正瀕臨離婚邊緣，我怎能任意取消一場可能挽救他們婚姻的討論會？不管怎麼說，幫助這些人才是我的本分，可不是讓我坐在那兒逍遙享受，置苦難的人們於不顧。所以我不停地工作，不停地工作。我這樣拚命地做，不斷地得到人們的讚賞和感激，我便把這當做是上天要我繼續努力的暗示。

頭幾年，神聖的使命感占去了我全部的心思，我已無心體會工作的樂趣，緊繃的心情阻隔了一切享樂的可能。我應看出這是個警訊的，可惜那時的我學養有限，把這訊號的意思弄擰了，當時我的結論是：「因爲幫助的人還不夠多，所以我不快樂。」

現在回頭來看，我猜你會說我有時像個脾氣暴躁的大師。我會因爲助理沒有及時把黑板搬到講台上而氣惱，會因爲沒趕上登廣告的截稿時間而臭罵負責的職員，會因爲輔導的個案不聽我的勸告而跟他生氣。如今重新檢視這段時期，雖然我已能看清當時種種不當行爲的起因，心裡仍十分自責，我那時就是想不通：我是在爲挽救這個世界而努力，這麼神聖、這麼重要的事情，你們這些人怎麼都不把它當回事？

幸好在投身事業七年之後，我成熟了許多，能學著寬容些、和藹些，並且在輔導個

案時，能更設身處地爲人著想。但是我內心裡的紛亂卻仍不能安歇，甚至到寫這本書第一章的時候，儘管已名利雙收，我仍不快樂。那時，我就知道，該是回去重做學生的時刻了，我要爲自己找一些新的老師，希望他們能打開我的心結，明白爲什麼實踐人生的目的不能帶給我快樂。

高懸在牆上

我原先並不預期會有幡然醒悟的一朝；然而，必須靠一根麻繩，把自己懸在五十英尺高的牆上，那樣不上不下的經驗，居然使我的生命完全改觀。事情的經過是這樣的：我的先生傑佛瑞是位脊椎指壓治療師。好幾年前，他就常提到他認識一位很有名的同行講師和精神導師——雷克曼醫師（Guy Riekeman），雷克曼經常在世界各地指導醫生如何找到並實踐人生的目標。「妳一定要見見這個人，」傑佛瑞常常建議我：「我真覺得妳該去上他的『繩子課』。」

「繩子課」是一系列對體能的挑戰，諸如：站在電線桿的頂端往下跳、在五十英尺高的空中走單索，或是徒手爬上只有少數隙縫勉強供手腳攀附的峭壁。當然，每個人都繫著登山用的安全繩索。「繩子課」的目的不是要訓練特技表演，而是要去面對在精神上和靈魂上包圍著我們的「牆」，並且去體驗在克服這些限制之後，穿牆而出的感覺。

我從不缺精神上的勇氣，體能上的勇氣則很有限。所以我不會被「從電線桿頂端跳下來，全心信賴同伴們會及時拉緊我的安全索」那樣的主意嚇到，卻在知道自己非去不可之後，怕得連想都不敢想；可是另一方面，我又是如此渴望能有所突破。

那天還下著雪，我們在科羅拉多州的山上，雷克曼醫師帶著大家開始我們的「繩子課」。戴上安全帽、穿上掛著吊鈎和繩索的登山背心，我已嚇得面無血色。我覺得我連電線桿的一半都不可能爬得上去，更不可能從上面跳下來。所以幾個鐘頭之後，當我從桿頂跳到半空中時，以及後來和傑佛瑞手牽著手走上高空單索時，我簡直不知該怎麼形容我心裡的驕傲。那天我完成了一項又一項的挑戰，我覺得自己真是棒透了——直到來到「高牆」前面。

你們不妨想像一下：一道五十英尺高的牆從地面直直豎起，牆面上除了散布著幾十個水泥小突起之外，一片光滑。三個人一組，由繩索串在一起，每個人之間的繩索約六英尺長。這個遊戲的用意是教這三個人必須同進退——要不就一起爬上牆頂，或是一個也上不去。我站在寒氣逼人的空地上，緊緊裹著連帽夾克，看著前面的一組人使出吃奶的力氣，終於爬上了牆頂的平台，看來這是今天所有活動裡最最困難的一個項目。

雷克曼把我和另外兩個同伴繫在一起，我在中間，然後開始爬！我儘可能舉高我的腿，勉強搆到第一個小水泥樁。接著用盡全力，抓上第二個樁，好不容易才把自己拉高

了幾英尺。我已經呼吸困難了——我們在海拔一萬英尺的高山上，空氣寒冷而稀薄。我用眼角餘光看到同伴都已經爬得高過我許多，在六英尺的繩索範圍內，等我趕上他們。接下來的十五分鐘，我生平還沒爲別的事出過這麼多力氣，我又再攀高了約十五英尺。

盪在半空中

然後大麻煩來了。我的身體開始抖個不停，兩腳抽筋，雙手僵冷麻木。還有三十五英尺在我頭上，同伴們已經耐心地等了很久了。我四下張望，希望看到一個我搆得到的小椿，卻覺得它們一個比一個遠。我一次又一次鼓足力氣衝向其中一個小椿，後果卻是前不著村、後不著店地盪在半空中，讓我在地面的同伴用安全繩索緊緊地拉住。

所有的伙伴一路爲我打氣，並且指引我該往哪裡爬，此刻加油聲更是響徹雲霄。「加油！芭芭拉！」他們在下面對我大叫：「妳做得到的。不要停下來。再爬一個椿就好。」他們愈加油，我愈難過。在那片光溜溜的牆上，我又嘗試了幾次慘不忍睹的攀爬，結果也總是在觀眾一片屏息中往下掉。

我哭了出來。「我爬不上去了，」我哭著喊：「我沒力氣了。對不起，我連累了隊友。」底下的支持者卻全然不理會我的哭喊，加油聲變得更響亮，我只有哭得更大聲，甚至有點生氣了。他們難道不知道我已經完了嗎？難道看不出來我就是做不到嗎？

然後我聽到傑佛瑞的聲音，他喊著：「我知道妳做得到的，寶貝。別放棄。別向害怕屈服！再往心底去發掘妳的力量，試試看再爬高一點點。」

「我不行了。」我慘著喉嚨叫回去：「我要下去。」

「妳行啦！」他堅持，觀眾也都附和他：「妳做得到的。」

我開始歇斯底里地哭起來，因爲我知道傑佛瑞這回錯了——這大概是我生平第一次了解到，不管我再怎麼努力，再怎麼激勵自己，意願再怎麼強烈，我都不可能再往前了。我就是做不到，連再動一根肌肉的力氣都沒有了，我整個人癱在那裡。我趴在牆上，籠罩著我的是一片前所未見的挫敗感。我讓我的同伴失望，害他們不能達成目標；我讓傑佛瑞失望；最嚴重的是，我讓我自己失望。

以愛代替催促

我懸在那寂寞的山頭上，彷彿過了無數個世紀。我哭喊著痛徹胸肺，我的四肢抽筋、身體僵凍，我的心碎成一片片。終於，我聽到雷克曼的聲音：「放她下來吧，我想她已經盡力了。」

我簡直不記得自己是怎麼離開那道牆、怎樣一身披掛地被人抬放下地。不過倒是記得我的雙腳一接觸到地面，整個人便癱在雪地上，哭成個淚人似的。我知道傑佛瑞過

來，把我摟進他的懷裡。

「我在這裡，寶貝，」他輕聲地說：「我不會離開妳。」

「對不起，對不起。我真的爬不上去，你不要怪我。對不起。」我哭個不停，嘴裡一直重覆著這幾句話。

「噓──」他安撫著我：「妳表現得很好。妳肯試著去做已經很令我引以爲榮了。我看得出來妳很盡力，妳不用自責道歉啊！」

「我覺得好難過，」我還在啜泣：「我不想讓你失望，我好想讓你以我爲榮，可是我就是做不到。我就是爬不上去，我就是不如人。」

傑佛瑞無限溫柔與憐愛地看著我，然後輕聲地說：「芭芭拉，這就是妳身邊的人對妳常有的感覺。」

他的話一進到我耳裡，我的眼前彷彿像掀開了一道久遮的簾幕。剎那間，我明白了自己之所以爲人、爲師的真相，明白了自己一向是如何誤解了人生的目的。傑佛瑞是對的，這就是我身邊的人對我的感覺──似乎不論他們走得多快，我都能快過他們；似乎不論他們多努力，我都會要求他們更努力；似乎他們總是在拖磨我的腳步，永遠也跟不上我。

那個懸在牆上的下午，我對隊友們哭喊的聲音，正是這些年來我的學生、戀人、朋

友，對我用盡各種方式哭喊了無數次的心聲：「我走不動了，不能再快了。」而來自牆下的聲音，完全無視於我的哭喊裡充分流露痛苦之情，儘管那原是一片美意的鼓舞。而這正是我慣於用激勵、鞭策、要求別人的真實寫照。然後，當我癱倒在那堆冰冷的繩索上時，我看到了真相：

——在我身邊的每一個人，都已盡了他們最大的努力在追求進步，他們所需要的，如同那天我希望隊友和傑佛瑞能給我的——不是責成，不是失望，只是愛。

——就算我爬不上牆頂，我還是需要傑佛瑞愛我。

——我需要知道，不管我做得到多少，都沒有人嫌不夠。

——我需要知道，爬到牆頂與否不能決定是否成功，重要的是努力的過程。

被懸在牆上的那一天，我所學得做老師的道理，遠超過多年演講會、討論會上的所得。我學到：老師應該尊重每一位學生所面對的心牆，並尊重每一個人在克服自身困難時的努力過程；一個好老師會知道什麼時候該說「繼續往上爬」，什麼時候該說「下來吧」。最重要的是，真正的人師知道——其實並沒有所謂上或下、高或低，也沒有所謂更好或更壞，只有那道牆和攀牆的過程能教給你一些道理。

我永遠感激雷克曼醫師幫助我在心靈成長上，達成如此重要的突破，感激傑佛瑞如此聰明慈愛地在最恰當的時機，在我終於聽得進去的時機——讓我明白真相。

以救世為嗜好

面對自己的「誤解之牆」——這次的經驗深深地改變了我，從此我才真正懂得什麼叫做無條件的愛與憐憫。我體會到前所未有的快樂，然而我知道我的重生還未完成，我仍然不能自已地一星期工作七天，仍然把時間表排得滿滿的，因爲我仍然覺得有「拯救世界」的責任。

於是，我開始寫這本書。我選擇本書題材時就很清楚，選這個題材寫作可以強迫自己好好檢視自己，那是一種只有寫作才會有的效果。對我來說，寫一本書就像是開一場爲期十二個月的研討會。在這一整年裡，每天、每夜、醒著的每一分、每一秒，腦裡想的、嘴裡說的、手裡寫的都是同一個題材——真實的剎那和人生意義的追尋。所以當我每天寫下這些文字的同時，我自己也一字一句地讀著，並且自我反省。我快樂嗎？我在逃避真實的剎那嗎？我的人生目標是什麼？

漸漸地，但也是深刻地，我開始了解了。以我這種熱情善感的性格，只要我仍相信人生的目標或我的差事就是要拯救世界，我就永遠不可能放輕鬆，不可能專心於享受一己的快樂，因爲基本上我是一個不論做什麼事都要全力以赴的人。不過，我現在懂得把差事和人生目標看做不同的兩回事了：

我的事業是當老師。

我的人生目標——我真正的天職，是要學著慶幸自己生而爲人，學著真正地愛自己、愛別人，學著快樂。

至於拯救世界，就如一位朋友提醒我的，我可以把它當「嗜好」來完成！而拯救世界之前，我的首要任務是要拯救自己，盡最大努力去體驗更多的真實剎那。

這份全新的體驗解放了我。我終於可以好好從事我的事業——做個好老師，但不必一天二十四小時爲之。服務人羣、守護地球，如今可以變成愛的行動、歡愉的時光，而不再是全天候的負擔和永無止境的責任。我終於給了自己走向快樂的通行證，不再有任何束縛。

我知道大多數人都不會這麼多情、善感。我也很清楚，我之所以曾經如此戲劇性地、如此緊張地想拯救世人，冥冥中必有原因，那就是爲了要與他人分享我的故事。引用比喻來說明一些道理，是老師們慣常使用的教學方法，而我活至今日整個生命的架構，從很多方面來看，都是一個個活生生的譬喻，可以讓我援以指引許多人走向愛、走向完整的人生。

知難行易

你或許不會和我一樣，認爲自己的生命擔負著這麼多精神責任，但你必定也有你自己的戰場，你要爲自己的快樂奮鬥——在對公司、對家庭的責任，和自己追求歡樂、追求寧靜的需求之間掙扎。儘管你不曾被人吊在五十英尺高的牆上，不曾有過上不去、又不敢下來的經驗，我卻知道你必曾面對過屬於你自己的恐懼與幻滅之牆。說不定這正是你此刻的遭遇。

在你追求人生意義的路上，但願這些故事能撫慰你的心靈，能讓你知曉，你並不孤單；也願這些故事能帶給你重新檢視自己的事業與天職的勇氣，並能將真實的剎那灌注其中。你也許很清楚自己的決定，你要賣掉公司，然後搬到鄉下，或是到比較健全的公司上班，或者回學校去學做獸醫。不過，爲了能過比較快樂的生活，你所必須做的改變，也可能和我一樣，只是改變你自己的想法，而不是改變你正在做的事。

最後，上天交付給你的工作是要你去創造真實的剎那，要達成這樣的使命，其實只要每天做幾件簡單的事：

迎接朝陽，
深呼吸，
欣賞自己身體的奧妙，
帶給人歡笑，
為你的狗搔搔癢，
觀人眸子，
對生活裡的奇蹟心存感激，
感謝大地所賜的食物，
向鳥兒揮揮手，
告訴某些人你愛他們，
向上帝道晚安……。

第六章

挑戰逆境

感覺自己的根本在動搖時，
我們常向上帝求援，
卻發現搖撼我們的，
正是上帝……。

——無名氏

有時候，生命是那樣地甜美，彷彿活著就是一樁上天的恩賜，是一種特權——當你第一眼見到自己新生的嬰孩；當你躺在愛人的臂彎裡細數清晨窗外的雨點；當你首度注意到春天來臨了，空氣裡充滿了希望，生機四起。有時候，彷彿生命中的每一刻都顯得那樣地意義非凡，所有事情的進展都與自己的意願和預期吻合，對上帝、萬能主的信仰簡直就是理所當然的事，因爲除此之外，還有誰能創造出這樣一個處處神蹟的世界呢！

然而，人生總有遭遇困境的時候——當你失去辛苦爭取來的成果，或痛失你所愛的人，那是你對一切良善品德的信心受到考驗的時候。在那樣的時刻裡，你唯一的願望是讓痛苦快快過去；所有的事都不合理，再沒有值得你努力的目標，你找不到活著的意義，也很難再去相信什麼。

如果你年紀夠大，那麼在你人生旅途中，必已經歷過許多這類的逆境，更或許此刻你正身陷其中。有一點是肯定的：只要我們活著，我們就得不停地在各種逆境與危機中來來去去，但是也只要我們還有一口氣在，我們的快樂就會永遠伴隨在悲傷左右。

以「變」為常

生命永遠處於變化的狀態。事實上，你活著正因爲你不停地在變，而「變」恆常包含了死亡與重生。就在此時此刻，你體內的每一個器官、每一條肌肉都有無數細胞死

去，也有無數細胞新生。一旦你的肉體停止變化，不再自我重生，便是它終止存在的時刻——那就是死亡。

創造之前必先解體，是宇宙中無所不在的定律。樹上的花朵必先凋謝，才能結出累累果實。種子必先耗盡自身養分，才能支撐出新芽；麥穀必先搗碎，才能做成麵包，這正如已故的哲學大師坎貝爾（Joseph Campbell）精闢的比喻：「不打破蛋殼，又怎能做出蛋餅呢！」

如果討論的只是水果和麥穀的變化，每個人都可以很輕鬆地發表一串如哲學家般的言論，也可以接受「變化」乃大自然中理所當然的一環。可是，如果我們探討的是自身生命的變化，可就不是這麼容易教人接受了。珍視我們所熟悉的情感與事物，是人類共通的特性。我們固守生活的規律、日常的儀節，會執著於自己最心愛的椅子、停車位、固定睡在床的某一邊；面對這個我們深知完全無法預知的浩瀚宇宙，我們總企圖給自己一點點掌控、確定的感覺。我們是如此害怕改變——「變」會奪去我們所熟悉的安全感，

萬事萬物必須改變，
方得重生，
而在重生的過程當中，
老舊的形式必遭摒棄。

將我們無情地置於情感的無限深淵裡。

這是一道兩難的習題——只要地球還在轉動，變化就會一刻不停；而變化彷彿總是以「失落」的面目出現：我們失去了青春、頭髮、身材，失去了工作、夢想或喪失了使夢想成真的能力。失落感隨時會降臨我們身旁：當孩子一天天長大，我們失去了他們的純真、他們無條件的愛；當我們年事漸長，不得不與曾經和我們朝夕依偎的人、事、物分別；當死神帶走我們的祖父母，接著是我們的父母，然後突然間我們自己變成了家中的長輩；當我們的朋友、我們摯愛的人辭世長眠，我們痛苦地變成孑然一身；當我們變得垂垂老矣，不再是社會中不可或缺的中堅棟梁，只能安靜無力地守在邊緣地帶；而後最終，當我們悄悄蛻去借宿多年的皮囊，回歸靈魂的世界……。

送舊之後必迎新

生命是一連串痛苦的道別，而道別從來就不是一樁易事。但是道別的另一面是相逢；送舊之後緊接而來的總是迎新！

我們稱之爲困境的時候，通常便是改變最多的時候。困境不會是快樂歡愉的時光，當然更不會是舒適可人的時候，但卻充滿了令我們醒轉的機會。在這些時候，真實剎那唾手可得。

困境使我們更接近真實剎那，因爲它打開了我們經常深鎖的內心世界。平日使你麻木無覺的那些濾網，在你真正面對危機或創傷的時候，全然無法爲你抵擋椎心的痛楚，想要忘卻心中的煩憂幾乎是不可能的事，你非得細細地品嘗這痛楚的每一分滋味不可。就因爲毫無遺漏地經歷了當下發生的一切，你因此擁有了真實剎那。

回想一段你曾經歷過的痛苦時光，那時可能你正在鬧離婚，或正患重病，或家人正遭逢大麻煩；如果不是太例外的情形，此刻再回頭看待那段遭遇，你會說：「儘管傷痛，那次離婚（重病、悲劇、意外……）其實是我所遭遇過的美好經驗之一。」因爲從此刻的角度，你可以清清楚楚看到隱藏在困境後面的，其實是上天賞賜的恩典——你學到了你需要學的功課。

危機會迫使你關注自己的生活、人際關係，也使你關心你自己。危機像一盞高瓦數的探照燈，將光束完全集中在某事物上，所有的細節都無所遁逃，成爲你視線內的唯一焦點。在這樣專注的自我反省、顯露人性的時刻，真實剎那翩然降臨。

痛苦幫助你敞開自己，挖掘出不自知的靈魂寶藏。正如黑暗的盡頭必是黎明，否極泰來時，你將增添一分智慧與韌度。這就是困境的力量——能迫使你釋放出積存已久、毫不自覺的勇氣、希望和愛。

困境的積極意義

米爾曼（Dan Millman）寫過好幾本他所謂「和平戰士」（peaceful warrior）的好書，他為「困境」下了一個很好的注解：「悲劇是通往靈魂的直達電梯。」正因為求救無門，我們只能反求諸己，卻因此找到通往慰藉與清明的新路徑。我們可不可能在偶然的機遇下，碰觸到這些潛藏心底的領域？有可能，但是痛苦和沮喪更能加速這個過程。我經常和遭逢困厄的朋友聊天，他們都有這樣的共同經驗——儘管恨透了那段可怕的往事，卻也從那段往事中發現自己提升到了一個新境界，甚至找到了平靜。

勇氣在痛苦中滋長茂盛。美國一位很有名的女演員摩爾（Mary Tyler Moore），曾克服過多次嚴重的生理與心理的重創，她說得很簡單：「唯有遭逢過挫折打擊，才可能學會勇敢。」

不論是接受記者訪問，或是在大型的演講會上，經常會有人問我這個問題：「妳年紀輕輕的，就對生命有這麼深刻的認識，究竟是什麼原因造成的？」我的答案永遠只有一個：「痛苦的經驗！」這是千真萬確的。回首生命中收穫最多的幾個階段，原來都是最難捱的經驗。捱過了最難捱的時刻，收穫的是無可比擬的自信心，那是在無憂無慮的快活日子裡永遠不可能得到的。

懂得視逆境爲上天的恩賜，而不是不公的責罰，實在並非易事。身陷悲劇或傷慟的重圍裡時，你會覺得上帝已把你孤立在悲慘的世界裡。「我不管這裡頭是不是有什麼偉大的道理要學習，」你的靈魂在吶喊著：「我只要痛苦立刻停止！」我不認爲在擺脫煩惱之前，你能表現得多麼通情達理。不過別忙著評斷自己忍受苦痛時的表現——經歷困境的方式絕沒有所謂的對與錯。不喜歡不順利的時候，並不代表你的信念不及別人堅定，也不代表你所受的教養比別人少，只不過是上天給你的恩賜還沒完全拆封現形罷了。最奇妙的是，不論你對逆境的態度是什麼，也不管你是不是心甘情願去走這一遭，你總會熬過去的；而在逆境的那一頭，等著你的正是新的力量與智慧。

每當面對困難的時候，我總會想起二十五年前，我的第一個冥想大師告訴我的話：

疾風吹嫩枝，用意不在傷害新幼苗，而是要它們學會把根牢牢地扎在土裡。

每天平靜愉快的生活，
不會爲我們帶來勇氣，
勇氣激發自困境中的奮鬥
和對逆境的挑戰。

我的一生也經過了無數的風浪，當然免不了曾詛咒那些讓我瀕臨崩潰的無情風雨。但如今我已是一株枝葉高茂、根柢堅實的大樹，我衷心讚美生命中的痛苦，感謝吹襲過我的風和雨；沒有它們無情的吹打，磨不出今日堅強的我。

與痛苦共舞

我聽過一句諺語：「你不能平息海浪，但可以學著乘浪而行。」乘浪而行的意思是學著駕御海浪，讓浪頭載你前行。我發現這是處理痛苦和危機時刻的最佳對策——與其遠離，不如更往裡頭去。

當你能夠與痛苦並肩而行，不再抗拒，就能從困境中創造出真實刹那。我把這種學習叫做「學著與痛苦共舞」。你要找到當前挑戰時刻的特有節奏，然後調整自己的步伐去配合它。這是教你不要逃避不愉快或害怕的感覺，反而要你選擇不斷地去探索這些感覺。這也意味著把原先你想忘掉的事提出來討論，讓自己有足夠的時間和空間，完完全全耽溺在傷痛裡。

九年前的聖誕節前夕，與我同居、我所深愛的人離開了我。他沒有給我任何合理的解釋——只是收拾好行囊，走出了我的大門。那時我曾懷疑他已另結新歡，後來證實爲真。但在事發當時，我滿腦子只知道一件事——他走了，丟下我一個人，我心碎了。

我跟排山倒海而來的痛苦和恐懼纏鬥了好幾天。我不停地打電話給任何願意傾聽的人；我寫信給他，一封又一封，然後全部撕掉；我拿出所有他送我的卡片，一張一張地重讀，想從裡頭找出他之所以要離開我的蛛絲馬跡。每個晚上，我在淚水濕透的枕頭上迷糊入睡，夢裡還祈求著明天可以好過一些；而每個早晨醒來，只要一想起他已離我遠去的事實，我便又立刻被無盡的痛苦吞噬。

不知道是什麼原因，促使我決定一個人走得遠遠地去過聖誕，我只是突然間覺得必須遠離所有的朋友、遠離電視、遠離一切的塵俗雜事，躲得遠遠的。我聽說在洛杉磯和舊金山之間的海岸，有個小鎮叫坎比亞（Cambria），那邊的山上有座小木屋。小木屋的主人告訴我，那兒很美，但也很簡陋——沒有暖氣、沒有電，只有木頭，和可以望向一片樹叢的玻璃窗。他也同意：「那是遺世獨立最理想的地方。」這正是我要的，我需要和我的痛苦獨處。

我打點上路，開著車來到了海邊。接下來的四天，我沒有開口說一句話。我寫日記、沉思，白天在樹林裡或沿著海邊散步，晚上在燭光下，獨坐一片寂靜裡。我不再抗拒發生在我身上的事情，取而代之的是全心投注在身受的痛苦和失落之中。

然後不可思議的變化開始了——我漸漸感覺到一股深沉的、能撫慰我心靈的寧靜。我覺得碰觸到了自己的靈魂，並且再次和宇宙萬物恢復了聯繫。我得到了保護和慰藉的

安全感，就好像冥冥中我一直受到照拂，即使是在那段接受試煉的時日裡。我的心思漸漸也清明了，看清了從前所不願面對的這段關係的真面目，我終於能放開胸懷讓它過去。而那股椎心的刺痛也開始逐漸退去，變成一分隱隱的傷痛，是那種曾經受過重創，如今已然痊癒的舊日傷痛。

在黑暗中尋找愛

小木屋裡的聖誕已過去多年，至今我卻仍極珍視那學會與痛苦共舞的四天，那是我生命中最具意義、最珍貴的真實剎那之一。因爲不再抗拒，並且願意深入自己的危機和傷痛，我才得以重生而臻至一種清明與寧靜的新境界。我穿過靈魂黑暗的深淵，終於得到光明的照耀。

哲學大師坎貝爾（Joseph Campbell）有言：

上帝的啓示總在靈魂走到黑夜深處之後降臨。當你失去所有，眼前彷彿是無邊的黑暗，那麼新的生命和你所渴求的一切便在不遠處了。

危急存亡的緊要關頭最能凝聚人心，人性中最美好的部分總在這個時候激發出來：我們的惻隱之心、慈悲心腸和純良本性。這些美好的品性幫助我們超越小我間的歧異，爲大我的福祉共襄盛舉。每每在洪水氾濫、大地震或颶風來襲時，就會出現這種感人的畫面。愛的力量總會激勵著我們，引領我們走出重重難關。

逆境中處處有契機，能教你領會到更多生命中的愛。在黑暗中尋找愛並不困難，在絕望中向別人伸手求救，你必會得到回應。說一句：「我需要幫助」，然後你會發現，救援就奇蹟似地來到你身邊。你真正擁有的資源遠遠多過你所知道的——朋友、相識的人、愛你的人。「我從來不曉得有這麼多人關心我。」當你接到從四處湧來的卡片、電話或救援時，你一定會這麼想。有時候，不經一場悲劇或創痛，我們不會明白或承認，原來我們擁有這麼多的愛。這也是生命中的難關往往充滿了真實剎那的原因之一——因爲在重重難關裡充滿了愛。

喪禮的啓示

去年，我一位好友——古德（Jon Gould）死於愛滋病，享年才三十九歲。古德是那種彬彬有禮、溫和善良的人，他的一生全奉獻在服務他人和發掘自我。當他的家人和好友邀我主持追悼會時，我覺得非常光榮，但也有點緊張，不知道這會是一場怎樣的追

悼會。我希望能充分表現出古德美好的性靈，但我也知道，追悼會上將會有一些緊綳的氣氛。古德離了婚的雙親都會出席，許多他過去的伴侶以及各種不同的團體也都會來參加。我知道古德姊姊的小女兒也剛過世不久——在過去的幾年裡，古德的家人比別人家經歷了更多的不幸和哀慟。

追悼會在古德母親的家裡舉行。陪古德走過最後一段時日的伴侶，在屋裡四處擺滿了大朵大朵的向日葵，那是古德的最愛，他的相片也陳列在每一個角落。上百個人齊聚在客廳裡，當古德最喜歡的音樂聲緩緩響起，我用下面的這段話揭開了追悼會的序幕：「許多古老的傳統都相信，在往生時的那一刹那，是即將去世的人回顧其一生和其抉擇的時刻，而所有愛他的人齊聚一堂，將有助於他看清自己的價值，讓他帶著滿心的自信和愛，迎向前頭的光明之路。」

說完那段話，我可以感覺到，整個房間裡的人心都紓緩了下來，因爲大家都明白當天齊聚一堂的目的，是頌揚古德曾經的存在，而不是來悲悼他的離去。摯愛的人去世，總教生者悵然無助；想到爾今爾後，所有的喜怒哀樂都再無法與摯愛的人分享，那分失落更教人空虛不已。但是在那個特別的晚上，我們緊緊地坐在一起，每個人心裡都覺得意味深長，因爲我們知道，我們並非全然無能爲力——我們還有愛的能力。

愛，就是那個晚上的主題。在幾個小時的相聚裡，我們打從心底愛古德。我們交換

各人心中珍藏的和古德交往的經過，述說著有趣的小故事，回味著古德爲朋友和顧客烹調別出心裁的上好佳餚；每個人都深深體會到，古德在我們生命中所占有的分量。我們笑，我們哭，我們爲他靈魂的安息之旅祈禱。最後，每人手執一枝點燃的浮水燭，將火燭漂放在游泳池上，向古德道別。

那天晚上我自己開車回家，一路上，我不斷地感謝古德給了我這份無價的禮物，讓我有幸爲歡慶他的往生盡一己之力，讓我再次感受到愛的力量能治癒創傷。即使是短短的一段時間，我們敞開了心扉，彼此分享性靈中最美好的一部分——記得怎樣去愛。

一九九四年一月的洛杉磯大地震之後，我雙腿顫抖著站在家門口的大街上，穿著浴袍的街坊鄰居互相交換食物、備用電池和安慰——這令我想起一九六九年烏茲塔克（Woodstock）的搖滾音樂盛會，或是一九六〇年代我最喜歡參加的那幾場聚會；整個洛杉磯在短短的幾天裡，來自各個種族、操不同口音的人，在大地震過後齊集一堂，就像是一個大家庭，你可以感受到愛的流傳。然後，危機過去，愛也遠走。

即使在黑暗深淵裡，只要我們心中有足夠的愛，
我們的心就能得到光明，我們的傷痛就能得到撫慰。
即使在艱難困頓中，只要我們心中有足夠的愛，
它就能帶給我們真實的剎那。

牢記愛的教訓

爲什麼總要靠災難或逆境才能把我們帶回愛的懷抱？爲什麼總要賴大自然最露骨的召喚，才能使我們看清，原來我們是如此地深愛著伴侶、孩子和朋友？爲什麼我們總要到太遲的時候，才恍然醒悟應該去愛？要再承受多少的痛苦和毀滅，我們才能牢牢記住愛的教訓？

聖歌〈奇蹟的教誨〉（A Course in Miracles）裡有一段很美的詞句：

所有的試煉都不過是再次呈現
我們沒有學會的功課。

我常在想，如果在順境中，就能牢記要彼此分享更多的愛，努力得到更多真實的剎那，那麼我們是不是就可以少一些逆境？

或許在我們和心中真正的意念漸行漸遠時，危機能迫使我們回歸自我；在已然忘記什麼是生命真義時，危機能使我們再看清一切……。

或許這就是宇宙的運行之道——以最快的方式喚起注意，讓我們重回愛的軌道。

或許這也是隱藏在困苦逆境背後的天賜恩寵。

祝福你擁有很多的快樂和很少的悲傷；然而一旦困境來臨，願你能有與痛苦共舞的智慧，用滿心的愛走出黑暗。

第 三 篇

人際體驗

第七章

開懷去愛

通往天堂的路只有一條；
在世上，我們稱之爲愛。

——古德曼（Karen Goldman）

人生在世所有可能遭遇的奇妙經驗，對我而言，無有勝過愛者。愛爲生命注入意義，它有如魔術、有如奇蹟。愛爲身處黑暗的人帶來光明，爲沮喪的人帶來希望。愛是最偉大的導師，是上天永恆的恩賜。

愛的力量超乎一切，它是看不到的——肉眼不能察鑑、秤尺不能度量，卻有能力在轉瞬間將你徹底改變，帶給你任何其他有形財物所不能及的快樂。一旦你擁有了愛，沒有人能把它從你身邊搶走，唯有你自己能使愛離去。

愛是宇宙中的魔術師，它能在一無所有中創造一切。上一刻，愛還不存在，下一刻，它便光芒萬丈地出現在你面前，讓你驚訝不已。最教人讚歎的是，它無中生有的能力——微笑的臉龐、開懷的笑聲、雞皮疙瘩、臉紅心跳、溫柔的話語、親暱的稱呼、喜極而泣的淚珠，還有最重要的，生命。是愛將你帶到人世間來；沒有愛，你根本不會來到這世上。

愛能使靈魂覺醒

愛使生命聖潔。凡愛所在之處，你必看見神聖的光輝。因爲愛，使你的人性提升，而能以脫世超凡的眼光看待這世界。你的兒女、你的愛侶、你的貓或狗、你的花園，或任何你愛的對象，在你的眼中都是那麼可愛、那麼寶貴、美得出眾，即使有那麼一丁點

兒缺陷，在你眼裡也顯得完美無缺。因爲有愛，尋常的時、地、物也會變得意義非凡，散發出特有的光采：妳第一次遇見妳丈夫的那一天；你們的結婚周年；公園裡你們曾靠著聊天的長凳；妳曾坐著爲寶寶授乳的搖椅；祖母親手爲你織的毛毯；小女兒寫的第一張小紙片，上面寫著：「我愛妳，媽咪」……這些都將變成無可取代的紀念品，共同編織出你生命中所有愛的回憶。

但最重要的，我相信愛能使靈魂從心底深處覺醒。當你愛的時候，你和周遭世界一分爲二的界線將會溶化；凡塵俗世裡人我的區分不再存在，你將會體驗到完整的大我。一旦有了這經驗，你在宇宙中不再是一個孤立的個體。你的生命和你所愛者的生命之間，從此有了交流。你全心傾注於他們，他們也全心傾注於你；彼此的靈魂亦步亦趨，相互交融。

你可能已感受過這樣的時刻，只是不明白這樣的時刻何以會如此使你感動：

妳和丈夫站在你們剛出世的寶寶床前，凝視著她甜美的睡容。她小小的身軀隨著呼

愛的恩賜中，
最偉大的是——
萬事萬物只要得到它的撫觸，
無不發出神聖的光輝。

吸的節奏而起伏，妳轉過臉去看著丈夫，卻發現他也正深情地看著妳；就在這一瞬間，妳感覺到一股愛的暖流從妳流向丈夫，再流向你們的小女兒，然後回流到妳心裡。愛的力量是這樣的充沛飽滿，妳知道你們三個人從此將緊密地結合在一起，任何雜質無法滲透，你們感受十足的完滿圓成。

小我邁向大我

這就是愛的力量——能帶引你從孤獨的小我，邁向完整的大我。愛能穿越俗世的種種界線；那些界線使你以爲：「你」只是你，和周遭的環境或其他的生命無牽無涉，你由那些界線認知自己的丈夫、妻子、狗兒、朋友或天空。然而，在愛的真實刹那裡，「你」變成了「我們」，一個比單獨的你更完滿的整體。

如此一來，愛創造了一種無邊、無際、無限延伸的經驗，使人能翱翔於肉身之外的世界。

你或許從來不認爲自己是個講究形而上、講究心靈精神層次的人，然而所有愛的經驗，無一不是一種心靈的感應——你與某人或某物靈魂的交會。愛爲你開啓神性世界的大門。

愛是創造真實刹那的首要法門，因爲它能驅使你學會全神貫注。愛引領你進入永恆

的存在，它能使你的注意力集中在當下所經歷的事物上，並使你心無雜念地浸淫其中。當愛的能力有所增進，你便有能力創造更多真實的剎那。

親密關係是一種神聖的機緣，讓你以愛爲蹊徑，邁向人格與性靈的轉型。從前心扉深鎖，愛要你將它開啓；從前感情麻木，愛要你開始感覺；從前沉默不語，愛要你勇於表達；從前猶疑不前，愛要你大膽邁步。獨處時感覺自己像個有情有義的人並不難，但是在親密關係中，你得面對自己感情上的局限。

親密關係是一個速成且持續的訓練所，促使你攬鏡自照，將自身不完美之處盡收眼底，你的黑暗面也得晾曬出來。親密關係扣著你的心門，要你開啓從不輕易示人的內心深處。然後，日日夜夜，親密關係給你機會學習愛，給你機會努力向前、不畏艱難，給你機會精益求精、日新又新。

我很年輕時就選擇了依循愛的途徑，因爲我知道它會帶引我找到我所渴求的真實剎那。這段愛的旅程一直是既刺激又神祕，傷心痛苦不絕於途，卻也能一次又一次鬆綁我的心靈。有很長一段時期，我不太懂得如何去愛，我犯了很多錯，傷害別人，也傷害自己。但是慢慢地，我懂得了善用愛和親密關係，使其成爲通往學習和蛻變的神聖之路。上天很眷顧我，我終於找到一個願意和我攜手、在這條神聖道路上一同探險的男人。

願景像燈塔

所有偉大的創作都始於觀想，那也就是一種願景。畫家在畫布上落筆之前，腦海裡必已有一幅理想的構圖；建築師設計一座大廈之前，一定已經在心裡看到了這座建築的全貌；作曲家譜出一首曲子之前，心中已經聽到了完整的作品。願景是所有愛的結晶誕生的動力。

如果你的親密關係沒有一個理想的目標，這段關係便什麼也成就不了。親密關係中的雙方如果對共同的目標沒有共識，就好像手裡沒有地圖，就想開始長途旅行——你們必會一次又一次地迷途，並且無法好好享受沿路的風光。要使親密關係成爲共同的成長之路，你和伴侶必須爲你們之間的關係，共同畫出理想的藍圖，然後一起爲實現這幅藍圖付出真誠的努力。

願景幫助我們度過重重的難關，它使我們專注於理想的實現，在跌倒或氣餒的時候，鼓舞我們再接再厲；爲了追求事業成就的目標，促使你在大學四年裡勤奮向學、努力研究；而母親懷抱愛兒的溫馨畫面，讓妳有勇氣撐過臨盆的劇痛。將親密關係規畫爲心靈成長的道路，你和伴侶將得以不畏艱苦、不屈不撓地攜手踏上愛的大道。

傑佛瑞和我對我們的關係有著這樣的共同認知：

●我們的結緣，目的是彼此互爲導師、互助成長。

●我們的結合是上天珍貴的賞賜——它將引領我們走過必經的學習之路，使我們更懂得自覺自醒、更有情有義。

●所有我們將經歷的困難和挑戰，都是上天爲我們最欠缺的能力所特意安排的訓練。

正因爲對我們的愛有了這樣的承諾和期許，所有遭逢的困難和挫折便有了另一層神聖的意義。每當吵嘴、賭氣、受挫、想要轉身離去時，我們的願景就會像茫茫迷霧中的燈塔，它恒定的光芒提醒我們：日常生活裡的挫折與困難，都是爲了成就一個更崇高的目標。我們把選擇攜手而行的初衷牢記在心，氣就容易消了，傷心也很快就過去了；寬恕了對方，我們發現那永恆的愛的牽繫始終蘊藏在心。

爲工作、孩子、家庭責任而忙碌的時候，很容易會忘掉親密關係的真正目的。結爲夫妻而忘了最初結合的初衷，夫妻關係就迷了路了。迷途的關係因爲不知道何去何從，很快就會凝滯不前、停止成長。

假如你和伴侶已經迷了路，快快一起找尋一些真實的刹那吧！在真實刹那裡，你們會找到回家的路，找回你們相愛的心。

愛要滋養、成長

你們需要充滿親密愛意的真實剎那、充分感受結爲一體的真實剎那，來滋養愛的靈魂，愛才能不斷成長。和你的愛侶共度這樣的時刻，能讓你倆重溫最初結合的心意和永遠相伴的誓言，使你們對前途再一次滿懷期許和勇氣，繼續迎向未來牽手的歲月。

真實剎那是親密關係的活血泉源。沒有真實剎那，親密關係的靈魂必將枯萎。你可以選擇對空洞的關係繼續視而不見，依然共處一室，但是這樣的關係只是一個空殼，是你用來逃避孤獨的一種方便安排罷了。

只是和某人待在一起，造就不出充滿親密愛意的真實剎那。相處的內容和品質才是關鍵所在。因爲沒有真正活在當下，你們可以貌似結合而神隔千里。相反地，即使相隔在萬里之遙的電話兩端，真實剎那仍能迸發，只因爲你們敞開了心扉，打破了距離的隔閡。我身邊有許多人和愛侶之間的關係，都因真實剎那不足而深受其苦。兩個人並非不再相愛，他們都仍愛著對方，但他們沒有儘可能地去深深感受那分愛，因爲他們不找機會展現彼此的愛，也不讓自己心無旁騖地浸淫在兩人的愛意中。簡言之，他們共同擁有的真實剎那不夠多。

年初時，我和我先生到羅繽女士經營的店裡，挑選我們的結婚請帖。我們在那兒逗

留了大約一個小時。傑佛瑞要趕回辦公室所以先走，我留在那兒完成其他細節。

「他很出色啊！」羅繽發表了她的觀察心得：「你們倆看起來很登對呢！你們看來應該是很知己的好朋友，我很喜歡你們之間互動的方式。」

「謝謝！」我回道：「我們可是下過一番工夫，才修得今天這樣的關係的。」

她說：「說來有點悲哀，每個星期大概總有二十對準夫婦上門來選請帖，可是最多也只有一對，看來是真正相愛、很快樂地在一起。其他的，常教我納悶他們究竟爲什麼要結婚。」

婚姻是每天的抉擇

對羅繽的看法我一點也不驚訝。主持研討會這麼多年，我知道她的觀察雖然悲哀，卻一點不假。很多人把親密關係看做是一種財產——就像「我有一部車子，我有一個差事」一樣，他們會說：「我有一段親密關係」。親密關係變成一種要去取得的東西，一旦到手，他們就不會再爲此投注太多的時間和精力。

耶穌基督有言：

生命中的每一刻，你都有選擇的機會，選擇以愛或恐懼去行走世間，或遨遊天際。恐懼之路狹隘難行，或許終能帶你走向標的。愛則對你說：「展開你的臂膀，與我同翱翔。」

婚姻不是一枚戒指，或一張證明你們是夫妻的證書，也不是一場宣告你們已經結婚二十五年的餐宴。婚姻是一種行爲——你如何每天持續不斷地愛你的伴侶、尊重你的伴侶。你是不是結了婚，不在於地方法院或家人的認定。真正的婚姻在你的心裡，不在大飯店、禮堂、法院，也不在教堂。婚姻是一種抉擇，不只是婚禮當天的抉擇，更是日復一日、年復一年的抉擇，不斷反映在你對待配偶的行爲上。

親密關係中的真實剎那，其豐富與強烈常會使不習慣的人受到驚嚇，人們常因此而逃避它。

你曾否和心愛的伴侶深夜靜坐一處，交換彼此的心事、對未來的憧憬和心底的小祕密？剛開始你們可能只是不經意地聊天談心，到某個程度之後，夠多的心門已敞開，夠多的牽念已牢繫，一個超乎你倆的東西便出現了。你知道它的出現，你們倆都會感應到。那是一個你倆共同擁有的心靈空間，一個在說夠了真心話、彼此互相撫慰之時，就會出現的神聖空間。這時，你會感受到你們之間前所未有的強烈牽繫。這個時刻，就是

真實剎那。

幾乎在真實剎那來臨的同時，你立刻明白：你再也不能操控自己了。因爲你的疆界已泯滅，你慣有的戒備正消失，你感到無助又不自在。隱藏在面具下的真面目被窺見了，最底層的波濤心緒也要赤裸示人了，你神聖不可侵犯的私有空間被闖開了。

諷刺的是，這正是愛的定義——愛就是你允許自己的靈魂去探觸另一個靈魂。如果你是一個不習慣信任與放心的人，你會在關鍵的瞬間來臨前抽身、拒絕愛的到來，因爲你害怕輸掉自己。你會急迫地想從伴侶身邊逃開，甚至想逃離那份親密關係。也或許，你會索性放棄一切與他人的親密和愛意，只因你知道，少了這層關係，那些可怕的、無助的、自曝其短的時刻就不會發生。

恐懼不是藉口

其實你不敢面對的是什麼呢？是你赤裸的自己。你怕的又是什麼呢？怕模糊了人我

婚姻是日復一日、年復一年的抉擇；
婚姻不是名詞，而是動詞；
婚姻不是你要得到的東西，
而是一件你要努力付出的事。

的分際，怕失去了自我，怕被一個更巨大的力量吞沒。因爲那是另一種形式的死亡——是獨立我的消逝，是自我的幻滅。

很多人窮一生的精力和自己玩捉迷藏的遊戲——他們盡一切可能來逃避面對自己的真面目，拒絕探索自己的黑暗面。如果這也是你正在做的事，無疑地，你一定也害怕真相、害怕真愛、害怕真實剎那所要求的自我坦誠；而你也總能找到方法來躲開這一切。《與狼同行的女人》（*Women Who Run with the Wolves*）一書的作者亞斯迪（Clarissa Pinkola Estes）說：「害怕是束手的差勁藉口。我們都會害怕，這一點都不新鮮。只要你活著，害怕就會如影隨行……，而愛就是在全身的細胞都喊『快跑』的時候，留下來！」

乍看之下，愛像是一種情感上的冒險，但事實上，一點風險都沒有。

——真正的風險是，共同生活在一個屋簷下數年，卻從不曾確實認識彼此的靈魂。

——真正的風險是，只知維持建立在物質條件和表面工夫上的婚姻，卻迴避最最重要的人性關懷和牽繫。

——真正的風險是，空有親密關係而不曾享有真實剎那。

你永遠不會因愛而輸，卻常輸在不敢去愛。

重拾感覺的能力

想和愛侶共享親密愛意，首先你得在當下完全放開自己，你不可能僅僅身在而心不在。你不可能假裝傾聽，心裡卻想著別人；你不可能在她想對你傾訴的時候，還兩眼直盯著報紙；你不可能帶著麻木的感官，還能徜徉在愛的時刻裡。畢竟，如果你不在那個當下，那麼去愛、去關懷、去卿卿我我的又是誰呢？

感情上活在當下，意謂懂得如何充分感受自己的感覺。

感受愛的存在就是建立在能知能感的這種能力上，就這麼簡單。如果你忘了怎樣去感覺，你便不可能感覺到愛、快樂或滿足。很多人在孩提時代就已喪失了感覺的能力，如今長大成人，無知無覺成了習慣——我們已慣於壓抑和潤飾、否定自己的情感。我們對別人發出溝通請求的回應總是：「現在不是時候」、「我不想談這些」、「沒什麼不對啊」、「你還不滿足嗎」。我們酗酒、嗑藥、吃垃圾食物、馬不停蹄地工作、無休止地看電視，都是企圖麻木自己的感官。然後經年累月地，我們的心滿載結冰的情感，而當關懷的時刻、親密的時刻來臨，即使我們想要掌握，也已經不知道該如何做了。

要找回感覺的能力，你要先為你的心解凍。哭出所有不曾掉過的淚，發洩出所有積壓經年的憤怒，找回屬於你自己的聲音，讓它訴說出所有隱忍已久的心事。感情的創傷

需要復健，你才可能重拾愛的能力。

我投注一輩子的心力，發展打破情感藩籬最有力且最有效的方法，我需要這些方法來療理我自己，然後和學生分享。坊間也有許多的精神導師和治療師，各自提供他們在情緒復健方面獨到的見解和步驟，不必客氣，儘量利用。我們都很願意助你一臂之力，好讓你早日找回你自己。

如何開始去體驗愛的真實刹那？你現在就開始吧，不要再等到下次假期，不必等到星期六晚上，也不用等看完這一章，現在就是時候。不必等到感覺對的時候，也不必等到你認爲你會表現得比較好的時候。不開始做，你就永遠也不會有感覺對的時候；不開始做，你的表現就永遠不會進步。

正如一位宗教家所說的：

你得開口，才能學會說話；得認真研究，才能學會做學問，得邁開步子，才能學會走路；得真正動手，才能學會工藝；就是這麼簡單的道理，你要學會愛，你就得真心去愛。那些想要走旁門左道去學的，都不過是自欺欺人。

愛是一種技巧，和演奏樂器、操作電腦、或烹飪一樣——熟能生巧。創造親密的真實刹那，也需要練習。你可以聽遍我的錄音帶，參加所有有關人際關係的討論會，但是依然學不會愛。去愛吧，這是你唯一能學會愛的不二法門！

愛成習慣

許多年前，我還沒開始當老師的時候，曾嫁給一位很有名的魔術師。他有本事在舞台上變換出一幕又一幕的絕妙幻象，他的一雙巧手能將銀幣和紙卡編排出無窮的神奇花樣。每當有人問起，他的魔術何以能巧妙變幻得像是不費吹灰之力，他總以多年的反覆練習和他最鍾愛的一句話做爲回答：

「要把最困難的關卡先變成習慣，習慣成自然，自然而生流暢美感。」

第一次聽到這句話是在十五年前，但是直到此刻下筆，這句話在我腦海裡依舊鮮活。適切地愛，很難；但只要我們不斷地在這上頭努力琢磨，愛終會變成習慣。然後，

想和愛侶共享最貼心的愛，
想在親密關係中
創造真實的刹那，
首先你得重拾感覺的能力。

你不必再一次次地提醒自己，要告訴伴侶說你有多麼欣賞他——你會發現自己已經這麼做了；他也不必在你的要求下，才說出自己的情感——他已能自動自發地對你傾訴了。頃刻間，去愛、去付出、去敞開心扉，對你們而言，已是再自然不過的事，畏縮不前、不去愛，反而顯得不自然了。你們爲對方付出得愈多，得到的也愈多，直到雙方都沒有一絲勉強的心意。最後，當愛意在你們的心中毫無阻隔地交互奔流時，愛已是那麼自然而深沉，流暢的美感也就由此而生。

這本書的第一篇裡，我曾說快樂是一種選擇；愛也一樣，也是種選擇。愛是你時時刻刻都要面對的選擇。你要選擇去愛、去表達、去分享、去展現。你不要等到愛的浪濤席捲而至，才開始有所行動；你不要到愛火如焚、不吐不快，才遲遲說出「我愛你」；你不要等到情欲難耐，才急急去擁抱你太太。你擁抱、你表白、你行動，都是因爲你記得，自己愛這個人，因爲你知道，選擇愛這個人，不僅使她快樂，你也要全心體會自己所感受到的愛，讓自己也樂在其中。

邀請真實刹那來訪

當你忙碌奔波，真實刹那不會自己追著你跑。你得在親密關係中，挪出特別適合的時間和空間，專程邀請它們到訪。

●調個鬧鐘提醒你，提早十分鐘上床，然後你們可以在床上繾綣相擁。
●中午在公園來個「野餐約會」。
●手牽手散個步，無語也無妨。
●駕車出遊，不必有特定的目的地。
●搖曳的燭光下，舒適的沙發上，相擁而坐。
●分享彼此心底的恐懼和最狂野的夢想。
●關掉電視，開始說話，看看會有什麼效果。

許多夫妻的日常生活裡，總是圍繞著許多「旁人」——小孩、親戚、朋友，使得兩人與親密的真實剎那絕了緣。他們絕少兩人單獨出遊，孩子永遠是用來彼此逃避的絕佳藉口。好不容易度個假，也總是兩、三對夫妻同行。這種事你聽來很耳熟嗎？我可不這麼希望。這樣的生活方式太危險了，總有一天你醒來時，會看著你的枕邊人，覺得形同陌路。

爲了爭取兩人在一起的真實剎那，你非得自私不可。無論如何都得找出時間來，不要爲忽略了孩子或朋友而掛心，他們終會感受到你們鮮活的愛，也終將因此受惠。別忘了，你們所能給孩子的最佳禮物是做他們親密、健康、相愛的好榜樣。

親密大補帖處方

每對夫妻都會有自己的方式來爭取屬於自己的真實剎那，不過，如果你還不知道該從何著手，這兒有些小點子可以幫得上忙。

在我看來，許多人都得了愛的飢渴症，他們衷心渴求愛。你可以現在就問問自己：「我從伴侶那兒得到了足夠的愛嗎？」「我的伴侶從我這兒得到了足夠的愛嗎？」

我有一道「親密大補帖處方」，能教你如何餵養伴侶的心。一日三餐是我們基本的生理需求，三餐之間還需要有一些小點心；我們的心靈也應該以同樣的方式來調養。給伴侶的心一天三次愛的大餐，這意思就是說：每天三回，你以主動的方式來表達對伴侶的愛，且每回至少三分鐘。我叫它做「3×3處方」——藥名：濃情蜜意，適用對象：愛人同志，劑量：一天三次，每次三分鐘。一天三次可以這樣調配：早晨起床前的床上親膩三分鐘，白天通一次三分鐘的電話，晚上孩子上床之後再進行三分鐘親密時間。

但是光有愛的大餐仍然不夠——你的伴侶還需要很多愛的小點心。愛的小點心有很多種，可以是頸項上的輕吻、一句衷心的讚美、一張傳達愛意的小字條、一聲謝謝、一通訴說「我愛你」的電話。愛的小點心費時不多，只要幾秒鐘，但功效神奇，能在瞬間

搭起心橋，創造出迷你的真實剎那。

再來看看你給伴侶的愛的大餐和愛的小點心是些什麼內容。一如在營養學上有四大類基礎食物，我們的基本精神糧食也分成三大項，我稱它們做3A：全神貫注（Attention）、濃情密意（Affection）、讚賞感激（Appreciation）。你投注全副心神，展現你的濃情密意，表達你的讚賞和感激；在愛的大餐的三分鐘裡，你以這樣的營養品餵養你的伴侶，使對方的心得到足夠的養分。

全神貫注：全神貫注的意思是你得百分之百地在那兒，一分一毫都不少地全心陪伴在你愛的人身旁。除了與對方爲伴，再也沒有別的事占據在你心裡。當你投注了全副心神在愛侶身上時，即使只有短短的幾分鐘，對方也能因此得到親近你、感覺你、接受你的愛的機會。看著對方的眼睛吧，問問自己對方最需要你的是什麼，你當然知道答案。記住——只有在我們全神貫注的時候，真實剎那才會來臨。

濃情密意：展現你的濃情密意指的是身體上的親密——撫觸、擁抱、身體親密的接觸。此處所謂濃情密意，與其說是專指性關係，不如說它是愛。身體上的親密接觸，有紓緩身心、促進健康的效果，甚至可以強化我們的免疫系統。身體方面的接觸也有助於你和伴侶之間情感的交流。

讚賞感激：表達你的讚賞和感激，是要你以言語說出你的愛意，要告訴你的愛侶爲

什麼愛他、爲什麼覺得感激他以及他做了什麼令你覺得很驕傲的事。其實我們大多數人都沒有得到足夠的讚美，都渴望有人表示對我們的激賞。請注意，我在這裡所說的，不是教你「做」些什麼事來表達你的讚賞，諸如幫太太鋪床或幫先生洗車等，這部分的處方專指言詞。你必須清楚地說出來：「謝謝你早上在我心情很壞的時候，那麼有耐性地對我。」「你能爭取到這個新客戶，我真以你爲榮。」「兒子這次的成績全部是優等或甲等，妳的獎勵讓他覺得他很優秀，我喜歡妳的處理方式，妳真是個天才媽咪。」

一天三次，每次至少三分鐘，用這三個方式來餵養愛侶的心，保證會有令你意想不到的效果。你會看到愛侶的臉上開始綻放出動人的光芒，你會感覺到更濃的愛意，同時你會享有更多的真實刹那。

當然別忘了還有愛的小點心。自從有了這些小發明之後，我和傑佛瑞便開始每天身體力行。一天裡總有好幾次，我們之中的一個會微笑著靠向對方，說一聲：「愛的點心！」對方就懂了，然後兩人會立刻來一個擁抱或輕吻。每次有朋友看到我們這麼做，並經過我們的解釋之後，從不例外地，太太一定會轉向先生說：「嘿，我也要一個愛的小點心！」

這道「親密大補帖處方」的目的是要讓你養成習慣——和愛侶一起享受愛的真實刹那。或許聽起來好像只是一些俏皮小玩意兒，但是對你們的親密關係卻有著脫胎換骨的

功效呢！

愛的步驟

這裡有一些教你按部就班表達愛意的方式，我稱它們做「愛的步驟」，這個步驟會產生立即的親密和真實剎那。在你和伴侶能夠單獨相處、不會有人來打擾的時候，你們就可以試一試這些步驟。比較好的坐姿是面對面，或是肩挨著肩，同時握著對方的手。在每一個步驟裡，你們交互輪流，說出引句之後，同時接出自己的答案。答案陳述得愈明確，這個步驟就愈有效。你每完成一句，對方都應該先表示謝謝，然後輪到對方說下一句。

以下是幾個引句的範例。你自己的答案可能長過這些範例，這樣很好，任何一個答案都不限時間和長度，完全決定於你自己的需要和意願。不過我還是建議不要少於十分鐘，當然愈長愈好。

表示欣賞的步驟：

●「我喜歡你的……。」

「我喜歡你在我每天下班回家的時候，對我表現得溫柔周到，讓我覺得可以完完全全地放鬆，盡情享受你的照顧。」（謝謝。）

「我喜歡你的幽默感——你總有辦法在我太嚴肅的時候，逗得我發笑，這是我很需要的！」（謝謝。）

「我喜歡你對我們的婚姻如此盡心盡力，總是在我打算放棄的時候，仍堅持與我溝通。你對我從不絕望，也一直讓我在敞開心靈時感覺安全穩當。」（謝謝。）

●「我愛你，因爲……。」

「我愛你，因爲你總是願意傾聽我的感覺，雖然有些時候我也知道那令你很不好受，但你總會讓我覺得我想說的話都是很重要的。」（謝謝。）

「我愛你，因爲你相信我，也相信我對這個家所抱持的夢想，從來沒有人像你這麼支持我。」（謝謝。）

「我愛你，因爲每當我看著你和孩子們玩在一塊兒的時候，我總會看見你心裡的那個小女孩跑了出來，那是全世界我所見過最甜美、最有愛心的小女孩。」（謝謝。）

表示感激的步驟：

●「我很感激你，因爲……。」

「我很感激你，因爲你在我們決定結婚的時候，接納了我的女兒，而且把她當親生女兒一樣看待，給了她從未享有的母愛。」（謝謝。）

「我很感激你，因爲你沒有在我害怕承諾的時候，放棄我們的感情，並且幫助我重

新學著相信愛。是你救了我。」（謝謝。）

「我很感激你，因爲你在我和我前夫糾纏得筋疲力竭的時候，能夠耐心對我，甚至在我遷怒於你的時候，你依然愛我。」（謝謝。）

表示歉意的步驟：

●「對不起，……。」

「對不起，我知道我有時候會讓你覺得很難相處，有時候還會拒你於千里之外。我不是故意要讓你愛我愛得這麼辛苦，我只是覺得害怕。請原諒我。」

「對不起，上禮拜我對於你整修房子的意見做了不留情面的批評，讓你覺得好像沒有做對過一件事。我太粗枝大葉了，看不出來其實你是多麼用心想要改善我們的生活。我向你道歉，請原諒我。」

「對不起，我沒有常常讓你曉得我有多麼需要你，我總是忙著工作，讓你覺得被忽略了。對不起，我沒有每天告訴你：你其實是我生命裡最最重要的。請原諒我。」

我曾親眼目睹這「愛的步驟」，爲包括我自己在內的數以千計的夫妻，創造了美好的奇蹟。「愛的步驟」之所以奏效，因爲它能打開你的心門，讓久候多時的愛意緩緩流出，同時來自伴侶的愛意也能得其門而入。我衷心企盼讀者都能因此享有更多珍貴的真實剎那。

人性中很不幸的一部分就是，我們總是對已擁有的一切視爲理所當然，等到一朝失去再也無法挽回的時候，只有拭淚自責，嗟歎時光無情。

一旦遇到對你的生命有不凡意義的人，就去愛吧，不要再等了。一天都不要耽擱，現在就去愛吧，時間的流逝可不是操縱在你的手裡，雖然你可能以爲自己有這本事。每一個愛你的人都不過是向上帝借來的，每一分、每一秒這個人都有可能被收討回去。我這麼說可不是在嚇唬你，相信我，我自己也不喜歡這樣的安排，但事實上就是這麼一回事，這也是每一個愛的日子都是那麼珍貴、那麼重要的原因。

讓我說兩個故事給你聽。表面上看來，這兩個故事都和死亡有關，但真正的含義卻是關乎生命的意義。

獻給巴比

大約在八年前，我每個月都會在洛杉磯主持一次「讓愛奏效」週末研討會。有一位學員約莫五十開外，事業十分有成就。他每天工作十八個小時，擁有相當可觀的財富。但是這麼多年來，由於專注於工作和事業，他忽略了妻子和三個兒子，以致二十五年的婚姻瀕臨了破裂的危機。這個男人非常頹喪——他一直以爲自己是個好丈夫、好父親，他不知道自己做錯了什麼事。連他的心理醫生也沒有辦法讓他好過一點，只好介紹他來

參加研討會。

在兩天的課程裡，這個男人做了幾件他這輩子從沒做過的事——檢視自己的內心。在心底的最深處，他發現了一些他從未察覺的感受：他不曾對妻兒表達過的愛；對父親的憤怒——從孩提時候就驅策著要他飛黃騰達；以及最深沉的悲傷——因爲有了這樣的發現，卻已然來不及挽回婚姻。他哭了，長大之後的第一次，他哭了。那個星期六的晚上，他告訴我們：雖然他已經來不及挽回他的婚姻，但是他下定了決心要重新開始，改善和兒子的關係。「我實在等不及要讓他們知道，我有多愛他們。」他得意興奮地對大家宣布他的決心，我們也都爲他的破繭而出大聲歡呼。

第二天一早，我們課程才剛開始，一位工作人員便慌慌張張地闖了進來。「有一位婦人帶著兩個兒子在大廳上，」她對我耳語：「他們說要找在這裡上課的爸爸，好像是因爲他們在歐洲的弟弟，今天早上騎單車被撞死了。」

我嚇了一大跳。瞬間，我明白他們要找的是誰了。我們請他到大廳去，他的妻子告訴了他這個噩耗。他悲慟的嗚咽和痛苦的嘶吼聲傳來，讓我們每一個人牽手相慰。然後突然間，教室門打開了，他走上講台，問我是否可以在離開之前對全班講幾句話。

我想，我到死都不會忘記那一幕。他就站在我們面前，老淚縱橫地說道：「我要說兩件事。第一，感謝上帝，這個週末我能來到這裡，學會怎樣去感覺，如果不是這次研

討會，現在我很可能連爲我的兒子哭泣都做不到，我可能還是像以前那樣麻木。

「第二，你們都知道我原本對未來有多興奮，因爲我好不容易懂得了要告訴兒子，我是多麼愛他們、多麼以他們爲榮。可是現在我再也沒有機會讓巴比知道這些了，因爲他已經走了，我再也沒有機會了。所以我求你們，如果我對你們能有一點點貢獻的話，那就是：不要像我一樣，不要等到一切都已來不及。如果在你的生命裡有你愛的人，今天就告訴他們，今天就讓他們知道，因爲你永遠不曉得明天他們是不是還在你身邊。」

他的話直透人心，在場每一個人都哭了。我們的心都不禁飛向了自己心愛的丈夫、妻子、兄弟、父親或孩子，各自祈禱在我們趕去訴說親愛之前，他們都活得好好地。

這位先生離開之前，我堅定地告訴他——巴比的死不會空無意義，因爲在我的有生之年，我一定會在所有適合的場合分享這段故事，提醒每一個聽到這段故事的人——現在就愛吧。所以這一段文章是獻給你的，巴比。

紀念愛倫

包愛倫是我們教會牧師的太太，也是我的好朋友。她和癌症痛苦地搏鬥了很長一段時間，終於在三年前撒手人寰。愛倫和我同年紀，過世的時候才四十歲，當時他的兒子強納生才五歲。

第一次看見愛倫的時候，很難想像她患有癌症，因爲她的外形實在是非常健美。她全身都散放著一種讓人忍不住要多看兩眼的耀目光采，那是一種生命和愛的光輝。大家都相信：如果有人能克服癌症的挑戰，那個人一定是愛倫。

愛倫堅強勇敢的靈魂的確克服了癌症的挑戰，就正如她的靈魂幫助她達到更高層次的自覺，給她力量完成性靈的精進與昇華；但是她的肉身卻無法擺脫病魔的糾纏，經過多年各種磨人的治療，她知道時辰到了，於是靜靜地離開了我們。

死亡總是不受歡迎的，但愛倫的病和死顯得特別讓人難以理解。她和她的丈夫戴偉是少有的恩愛夫妻，她對戴偉的牧師工作非常支持，每年都有數以千計的羣眾受到她慈愛的照拂。當她的死訊傳來，所有愛她的人都痛不欲生。

去參加葬禮的人多得難以數計。愛倫的親友、醫生、兒子、丈夫，先後出來和大家分享他們所珍藏對愛倫的記憶、他們的痛苦、他們的失落以及最重要的——他們對愛倫的愛。在場每一個人除了深深的感動外，彷彿也都感覺到愛倫的靈魂就在我們的身旁。

我們必須改變我們的觀念：
值得紀念的，是生命，而不是死亡。
爲今天創造真實的剎那，
不要等到明天才發現空留回憶。

歷時數小時的儀式，充滿了笑聲和淚水，我們頌揚這位名叫包愛倫的女性，並且接受她的形體已離開我們、去到另一個世界的事實。

記得在儀式中，我曾忽地抬頭環顧整個禮拜堂。我看到每一個人，甚至是陌生人，都緊緊地手牽著手。在這一刻，愛顯現出無可抗拒的力量，我卻在這一刻裡感受到無以名狀的哀痛。「爲什麼一定要等到我們所愛的人過世了，才來頌揚他們呢？」我問我自己：「爲什麼當我們對一個人最盡情表達心中的愛和讚美時，那人總是已無法親耳聽見我們的心聲？爲什麼我們不能在對方還好好活著的時候，以同樣深濃的感情來交換彼此最珍惜的故事、回憶和感覺？」

在我們讚揚愛倫是位無與倫比的好妻子、好母親，也是一位出色女性的時候，愛倫本應站在我們的面前，在滿室鮮花的環繞中接受我們的讚美。愛倫一直深受大家的喜愛，可是我實在不能不心疼地想到：竟然是死亡，才將她推向了最受矚目的焦點。

在你的生命裡占有一席之地的人，都確知你有多愛他們、多麼需要他們嗎？別等到他們離開了人世才頌揚他們，別把你讚美的話留到追悼會上才說。愛他們，不要等、不要遲疑。現在就去。

爲你所愛的人舉行一場「生之慶」吧！邀請他的親友、家人、鄰居，請他們一起來分享大家對他的讚美和感激吧！

歸根究柢，愛其實就是一種神性的實踐。當你愛一個人、一個動物或一棵樹，其實你愛的就是上帝的一部分。每一個愛的真實剎那，都是一次化神聖爲具象的契機，那也是你參與共築人間天堂的契機。

看看你的四周——有人正需要你的愛，滿足他們的需求吧。那一刻，你將是上天賜給他們的恩典，而上帝也正欣然微笑。

第八章

讓靈魂自由奔放

——給女性

哦，大地之母，一切生命的源頭，
從盤古開天地之前，
穿過時間的迷宮來到我的眼前，
讓我記起了祖先們的智慧，
和女性永恆生之源的力量。

——奧思頓（Hallie Iglehard Austen）

我以一個女性的立場來寫這一章，寫給同樣身爲女性的讀者，希望可以由此找到我們滋養身心所需的真實剎那；當然這一章也爲愛護女性、希望了解女性的男士而寫。

女性，如你所知，本能地就知道什麼是真實的剎那。真實剎那根本就是女性天然的領域，我們徜徉在真實剎那裡，就像在家裡那樣地自在，好比鳥兒乘著風的翅膀翱翔，任風之所之而至。翱翔空中靠的是能將自己全然交出，隨風翻飛遨遊，女性深知其中奧妙，所以能如此長於在內心世界的溪壑、峽谷間自在滑翔——因爲我們懂得如何交出自己。我們的身體可以說是爲此而生的，我們在性愛中交出自己，接納心愛的人；每個月的生理期我們交出自己，釋放出不再有用的血；生產時我們更是全然放棄自己，讓我們的兒女得以來到世間。只要我們願意，我們便能輕易地沉浸在真實剎那裡。

女性像是煉金的術士，能把尋常瑣事幻化爲神妙奇蹟。我們能把帶著孩子在街頭散步變做一場引人入勝的探險；一間空屋，我們可以這兒擺幾盆植物、那兒掛幾道簾子，家的味道就出來了；和愛侶的靜心交談，也可以成爲一次真心交流的機會；插一盆花、包一份禮物或一個擁抱，這些簡單的動作都可以變成感情豐沛的神聖時刻。我們能在每一件俗事雜務裡看到神蹟和愛，那是我們與生俱來的本領，也是最令男性畏懼之處。

自古以來，女性便比男性更容易接近真實剎那，原因很簡單，實在是我們在世間所被安排的角色使然。世間的角色安排不允許我們走出家門、參與社會，於是我們專注於

內心世界。我們留在家裡養育孩子，和孩子之間有更多相互關懷的時刻，我們也擁有更多獨處靜默的時光。我們烤麵包、整理花圃，我們看書、織毛衣，我們祈禱。

自由謀害女性？

然而在過去這一個世紀裡，我們獲得自由，可以和男人一樣平起平坐，但同時，我們也失落了靈魂的核心。所有男人的困擾——伴隨壓力而來的各種疾病、身心方面的過度耗損、心中無法享有一刻安寧，我們都全盤接收了。我們的自由正在謀害我們，真實剎那正從我們手中失落，我們渴望把它找回來。

女性在世間一向是扮演付出與滋養的角色——不論從生理基因或心理養成各方面來看，我們都注定要照顧身旁每一個人。我們總是比男人早一步看出別人的需要，知道什麼時候寶寶快要哭了，也知道什麼時候丈夫的情緒需要發洩了；有人打噴嚏，我們會遞上紙巾；有人生氣，我們會給他一個甜甜的微笑。我們願意做任何事來使每一個人高興，我們是使別人快樂的人，我們是衷心願意付出愛的人。

問題是，我們總是把取悅別人當成頭等要事，卻常忽略自己的快樂。慣常犧牲的結果，是剝奪了自己享有真實剎那的時間和機會，儘管我們那麼渴求真實剎那且懂得享受箇中美味，我們卻已和自我的核心漸行漸遠。

你知道令女性覺得最不堪的形容詞是什麼？自私。大多數女性寧可接受其他任何形容詞，你可以說我是膽小鬼、軟腳蝦、爲愛成癡，但你就是不能說我自私。你說我自私，就是覺得我沒有考慮到你的需要；你說我自私，就是認爲我沒有爲你著想；你說我自私，等於罵我是畜牲；你說我自私，等於說我不是女人。

做太多了

從小，父母便不斷地耳提面命：愛就是要周到地顧慮每一個人的感覺。沒有一個父親會像教兒子那樣，對他的女兒說：「小寶貝，出去好好給他們點顏色瞧瞧，把他們一個個給比下去。」但是父親永遠會告訴女兒要溫柔、要大方、要善解人意、要懂得說對不起、要寬宏大量。這些都是很好的行爲，男性在這些方面還要多多努力。但是對女性而言，我們已經做得太多了。甚至，我們在應該堅持「受」的時候，仍然「施」；我們在應該發出最後通牒的時候，依然願意不計較；我們在應該要求道歉的時候，卻先說「對不起」。

對女性來說，花點時間享受真實剎那是攸關心理和性靈存續的大事。如果不這麼做，遲早我們會被身旁不斷向我們需索的人和事榨乾。我們需要爲自己騰出一天、一個小時，甚至只有五分鐘也好，專爲自己，不爲其他任何人。想要成就無間斷地付出而不

致心懷怨懟或在情緒上油盡燈枯，我們寬大慈悲的心靈也需要定期補充燃料：我們需要靜默、需要空間，我們需要傾聽自己心中的想望，而不是別人的期望。

但是我們不得不承認一項事實——我們在「自私」這方面，表現得實在很不出色。專爲自己做了一些事，就會令我們很不安，會有罪惡感，總覺得自己這麼做是背叛了所有的人——丈夫、孩子、小狗和有困難的朋友。我們常爲了對自己好一點而覺得虧欠了別人，儘管我們只是獨自去休一天假、關起房門看兩個小時書、或是因爲去上課而讓家人在外頭吃一餐。

男人在自私方面的表現可以說是得心應手，我說這話是褒不是貶，至少在這裡沒有貶的意思。他們如果想要晚飯後丟下家人去研讀一篇文章，沒問題，他們可以毫不猶豫地走開。不必抱歉，不必偷窺妳的臉色，看看妳是否面露不悅。他們可以把妳和其他人統統不放在心上。那麼爲什麼獨獨我們女人想進修、想充實自己的時候，還得找各種藉口才能抽身呢？爲什麼在獨享片刻真實剎那之後，我們總覺得該對家人朋友加倍補償？

享受真實剎那吧，重新尋回妳的自我吧，不要再去擔心別人怎麼想。如果妳向來是個有求必應、無私無我的人，那麼妳一旦開始保留一些屬於自己的時間，那些已慣於依賴妳的人，那些把妳當做是情感精神的支柱、免費司機、三餐供應站、自動洗衣機、免費諮商顧問的人，恐怕不會太高興。他們還可能公開表示他們的不滿，或以消極的方式

賭氣抗議。別理他們，遲早他們會習慣妳的專有時間表，甚至只要從妳的眼裡看到新的光采、感覺到妳內心的從容祥和，他們就能因此受到鼓舞。

開始寫這本書之前，我就很清楚自己享有獨處的真實剎那並不夠。那幾個月，在時間的分配上，我做了很大的改變。很多定期辦的研習班，已成許多人的生活支柱，我把它們全停了；很多我不感興趣的社交場合，我不去了；現在，這本書的進度已經到一半了，我甚至不接聽電話，只請助理告訴來電的人：我會隱居到寫完這本書。這著實惱火了一些朋友和認識的人，他們很難相信一向對他們有求必應的我，竟然會在他們需要我的時候，相應不理。當然，沒有人真的跑來指著我的鼻尖說：「妳竟敢把時間留給自己，妳這個自私的傢伙。」不過我可以感受到，確實有人是這麼想的。

那麼我的感受又如何呢？真是美妙得無與倫比，棒透了，我終於平衡過來了。長時期的付出、付出、再付出，我當然極度需要充電，爲內心支撐自己的泉源補充燃料。

美國女作家林伯格（Anne Morrow Lindbergh）曾不平地說：

這就是女人的命運嗎？她總是把自己毫不保留地分給每一個人。所有做為一個女性的天生本能——對孩子、對男人、對社會的永恆給養者，都不斷驅策著她去付出。她的時間、精力、創造力，就是這樣，只要一有機會、一有空隙，就往這些孔道汩汩流去，

直到自己乾涸枯竭為止。

男人卻永遠能將自己完整地保留給自己。他們知道自己的分際在哪裡，知道哪裡是自己的盡頭、是外在世界的開端。偏偏女性和周遭世界的畫分卻是那麼不清不楚，隨時可以穿越滲透。邊界模糊不清、千瘡百孔，我們的靈魂就從這些穿孔一點一滴地流失。女性和身外的世界總是處於恆常取和與的過程中。

月亮的孩子

所有的女性都是月亮的孩子。我們的身體隨著月亮的周期而變化——月亮對我們的影響一如它對海水的牽引，在我們的靈魂深處曳引出無形的潮與汐，除了自己能清楚地感覺，外人誰也看不見。就這一點來看，我們的身體永遠不可能完全屬於我們自己，它屬於月亮。而在懷孕的時候，我的身體則屬於我的孩子——整整九個月的時間，有一個人活生生地住在我的身體裡。即使在生產之後，也還沒了結——當我的奶水源源流向孩子的嘴裡時，我的胸部屬於我的兒女。

在親密關係中亦復如此。我們天生是被穿透的一方——爲了要能完全無間隙地結合在一起，我必須開放自己來接納我的愛人。他以他身體的一部分進到我的體內，他所碰

觸到的幽暗隱密的角落，是我自己也無由到達的地方。一個在此之前原本專屬於我的地方，現在容納了另外一個人。

尤有甚者，並非只有我們的身體是如此自然地取與，我們的心理也在相同的軌道上運作。不論是漫步街頭、走進室內或在電話上，我們總會心不由己地感應到屬於旁人的感覺——別人的憤怒、傷痛、想望，那些是我們其實根本不願意知道的一切。

某處有個小孩哭了，妳的一部分精神立刻飛了過去，想安撫那孩子；千里之外發生了一樁悲慘的事情，妳發現妳的一天都毀了，因爲有一部分的妳已經不由自主地去到那兒，妳要安慰他們、幫助他們。這些都不是我們自己能作主控制的，完全是女性特質的本能使然。大自然的力量牽引著我們，我們以不加思索的直覺回應。

需要迴向內心

可穿透的特質使得女性擁有絕佳的彈性，重挫之後能夠迅速恢復心智，好整以暇，重新出發。然而我們也因此常生活在對外界的各種引力過度遷就、過度反應的危險狀態下，這使我們常被牽離自我的中心，漸而喪失自我。

我們需要擁有一些迴向內心的片刻，在這些片刻裡，我們可以關上幾乎是恆常敞開的心門。在這些片刻裡，我們的身體、情感和心靈只爲自己的需求、自己的夢想和自己

的聲音開放，任何其他人事都要被拒於門外，我們需要屬於自己的真實剎那。

店家也需要有關門盤點的時候，用不著擔心顧客。等你再度開門營業時，他們仍會上門光顧。

我所認識的大部分女人，一生都在不斷把自己碎成片片段段分給別人。一片屬於最愛的另一半，每一個孩子一人一片，還要分給朋友、父母、公婆、姑嫂、上司、下屬、社團以及凡向我們伸手要的人，甚至沒有伸手要而我們主動給的人。我們將靈魂散成碎片四處分發，像是漫不經心的布施，卻在驀然回首時，發現自己竟然空虛不已且情枯意竭，而我們似乎還看不出來這究竟是怎麼一回事。

如果妳覺得是別人來奪走了妳的權力，那麼妳永遠也別想要回來了，因爲妳不曾主動放棄過；但如果妳認爲是自己將權力交出去的，那麼可以開始一點一點地收回了。

我的女性意識真正覺醒，是在我開始逐一收回我的靈魂碎片的時候。那些流落四處的碎片，是我的靈魂、我的真誠、我的自尊、我信奉的真理、我的信念，我曾將它們交給了我的父親、我的前夫、我的愛人、我的老闆、我的老師、我的合夥人。有些碎片在我還是孩子的時候就已自動放棄了，那時我盼望的是藉此得到愛，盼望爸爸可以留下不離開；而當他終於還是走出了家門，我又期盼他能因此偶爾回來看看我。有些碎片是在談戀愛的時候拱手讓出的，希望能藉此避免衝突，讓所有事情看來都很美好，讓那個男

人覺得我是最適合他的，讓他不再去找其他女人。有些碎片在我該爲自己疾言爭取，卻依舊靜默的時候，交了出去；有些在我明明覺得不夠，卻裝做滿足的時候，交了出去；有些在我該咆哮怒吼，卻只敢輕輕啜泣的時候，交了出去；還有些在我該掉頭離去，卻仍微笑留下的時候，交了出去。

以靈魂賄賂

如今回首，這樣的交易無異於以靈魂賄賂。我們以自己的靈魂爲籌碼，而在這個過程當中，背叛了我們自己。爲的是什麼？爲了可以說我們擁有親密關係？爲了手上有一枚戒指，以證明有人愛我們？爲了不必孤單度過週末的夜晚？爲了有棟好房子和優渥的物質享受，而不必在乎內心的痛苦？爲了孩子們可以有個父親在身邊，而不管他其實是個徹頭徹尾的人渣？

每一個女人都有她自己的價碼，不同的女人會受不同的誘因所迷惑而出賣自己。拿我來說，「歸屬感」對我具有最大的誘惑力。從前的我，幾乎願意付出任何的靈魂代價給愛人、朋友、老師——只要他們表現得像是專爲我一個人、願意陪在我身邊。對很多女人來說，安全感是最重要的。我可以立刻想出至少十個這樣的朋友，她們還待在丈夫的身邊只是因爲覺得「生活得很舒適」，不願意改變她們的生活方式。她們寧願過著毫

無熱情、不忠於自己的生活，也不願放棄可以開高級車、住大房舍、二十四小時有佣人服侍的日子。

我爲那些只爲享受浮華虛名而出賣靈魂、放棄自己姓氏的女人悲哀；我爲那些只爲了要一個男人能接納她，而甘願改變自己的價值觀、信念、甚至胸部尺寸的女人悲哀；我爲所有割讓靈魂的女人悲哀。

那樣的時刻總會到來——不將碎成片片的自己收拾完整，便再也無法向前邁進一步。那樣的時刻總會到來——對割讓出去如孤兒般的碎片棄之不顧，便永遠無法享受片刻內心的安寧。當那樣的時刻到來，妳將忽然覺醒，妳知道妳必須有所行動，妳必須去找回妳散落的靈魂。

找回自我

我們究竟該怎麼做呢?不同的人需要不同的方子。對某些靈魂力量已所剩無幾的人

女性要找回完整的自己，
和發掘自我沒有多大關係，
最要緊的是
尋回散成碎片、分了出去的自己。

而言，她們得離開現有的生活、離開身邊的人，才可能找回自己；有些人應該安定下來，不再逃避愛；有些人得試著說出自己的心聲、說出隱瞞已久的事實真相；有些人最好閉上嘴巴，學習傾聽自己的心語；有些人應該換個差事；有些人需要找份工作；有些人該爲人我之間的相處，訂定新的模式；有些人則需要破除一切規範；有些人需要關上門、拔掉電話，隱居一段時間；有些人卻應該走出來，不再躲藏。

慢慢地、逐片地，我們將自己一點一點拼湊回來。每一次我爲自己的心找回一個碎片，我的靈魂便會雀躍不已，像是母親迎接失散多年的孩子回家那般喜悅。每多接一個碎片回家，我對我的生活便又多一分勇氣、少一分畏懼。

有一個關於小木棒的故事，我聽過許多遍，也聽過許多種不同的版本。如果你只取一根小木棒，你可以輕而易舉地折斷它；但是如果將這根木棒和其他很多的木棒綁在一起，再試試看能不能折斷它們，你會發現：折不動了。一整束木棒的力量太強了，一個散失了靈魂的女人就像是一根孤單木棒，很容易就會被折損；但是懂得將自己片片靈魂牢牢繫在一起的女人，便擁有完整的力量，不會輕易被擊倒。

女性尋回完整自我的路途並不好走，至少我的這條路就不是一條坦途。有時候我們不知道從何著手，不知道該如何踏出第一步去找回真實剎那，因爲我們已久未嘗到真正情感自由的滋味。妳們有沒有看過那些描寫從一出生就被養在籠子裡的動物紀錄片？牢

籠一旦打開，這些動物的第一個反應，幾乎都是拒絕走出牢籠。你可能以爲牠會迫不及待地衝出來，享受牠好不容易獲得的自由，事實卻正好相反；在牠的觀念裡，那道門還在那兒，因爲它始終是在那兒。所以即使門已大開，牠也只是靜靜地坐在牠的牢籠裡，不敢越雷池一步——儘管「雷池」已成過去式。

焦躁的風

讓我告訴妳們一個真實的故事——我怎樣學會讓自己的靈魂自由奔放。

許多年前，我每隔一段時間，就會經歷一場威力強大的焦躁期。這樣的焦躁已像是我的老朋友——從我十六歲開始，這種情緒就時常像一陣風一樣，在我的生活裡來來去去。每一次焦躁的情緒開始浮現，總要搗亂我生活裡所有井然有序的安排，帶來莫大的困擾。或者更精確地說，是我會惹出許多麻煩。因爲只要一感覺到那股焦躁的風在我心裡鼓動，我就會進入一種類似靈魂發燒的狀態，開始發瘋似地想盡辦法要去滿足那突如其來的求變渴望。

焦躁的情緒不算太強烈的時候，我會做一些像大掃除、換新車或出國旅行這樣的舉動。但曾有好幾次，那股焦躁的狂風吹得我完全失去控制，結果就有一些相當戲劇性的行爲：墜入一場不該發生的婚外情、離婚或轉行換工作。不過，焦躁的風從沒有真正把

我吹離航道，而我所有舉動的後果，也都像上天注定似地相當圓滿，因爲所有在那樣狀態下所做的改變，其實都是原本早就該完成的。只是每一次的過程都那麼倉促突然，常讓我身邊的人覺得筋疲力竭且痛苦萬分，我自己也常震懾於那焦躁的威力。

傑佛瑞和我剛開始在一起的時候，我覺得自己好像患有難以啓齒的隱疾。我該怎麼跟他說呢？難道就告訴他：「我這毛病常發作——我會變得有點瘋狂，這一部分的我會在那時候出現，如果你看到我發作的話，請記住這絕對不是針對你而來。」我愈來愈害怕這股焦躁的風，害怕它會破壞了我和傑佛瑞的關係，害怕失去這輩子所擁有過最美好的東西。當然，這種事不是我主觀意願想做的事，我哪一次都不希望它發生！它卻一次又一次襲來！於是我對自己發誓：「這次，我一定要先準備好，等它發作。」正是毋恃敵之不來，恃吾有以待之！

它果真來了。首先是腎上腺素引起的小微風，還算清涼宜人，接著便是那再熟悉不過的衝動——如狂風驟雨般要衝出牢籠的欲望。但是哪裡有什麼牢籠呢？這次，我原就快樂；這次，我知道我該守在原來的地方；這次，我不需要那股風來解放我，我很滿意現有的狀況和現處的親密關係。

於是日復一日，我不斷和心裡那股力量對抗。它總是輕聲催促著我：「跑啊……跑啊……。」我不禁疑惑，到底是誰要我跑？要我離開什麼？要我跑去哪裡？我祈求上蒼

給我答案，祈求上蒼讓我看清真相，並賜我智慧以贏得這場勝仗。

性靈導師常以各種不同的面貌出現在我們面前。他們不會總是穿著白色的長袍，甚至他們不會知道自己正發揮導師的功能。他們在你需要有人點化的時候出現，爲你指引出前路的方向。

我的老師，水晶

在這段風狂雨驟的期間，我的導師是一隻狗——水晶。水晶是一隻美麗的愛斯基摩犬，來自西伯利亞，牠就住在我的對街。在我開始養碧珠之前，我一直都很怕狗，可以說是怕得要死，尤其是大型的狗。是碧珠帶著我去和附近鄰居的狗交上朋友，並且帶領我認識奇妙的動物世界。所以當我的鄰居把出生不久的水晶抱回來的時候，我就心想：趁牠還沒長大，這是我的大好時機——接近大型狗、克服我對牠們的恐懼感。

那是個夏天，水晶剛滿四個月，我的鄰居告訴我他們要出遊幾天，水晶不能跟他們一起去，但是有一個朋友會每天來餵東西給牠吃。我還記得當時我很擔心，心想：「牠還只是個小娃娃啊！」可是體型上一百磅的牠已經是一隻不折不扣的大狗了，我的鄰居也再三強調，牠不會有事。那天深夜，我在睡夢中被一陣令人毛骨悚然的怪聲驚醒。起先我不太能確定那是什麼聲音——我只感覺到那聲音直透我心。然後，我發現那是水晶

的聲音，牠正像狼一樣地哭號著，寂寞孤單地哭號著。

神奇力量相牽引

我躡手躡腳起身，在一片漆黑中，走向鄰居空無一人的房子，打開後門。水晶就在那兒，渾身顫抖地坐在門口，牠濃密的毛在月光下閃著銀光，我跑過去抱著牠。「可憐的水晶，」我輕輕地對牠說：「他們都走了，留下你一個在這裡。你一定以爲他們不會回來了，可憐的小東西。」我把這寂寞的大塊頭抱起來，像搖嬰兒入睡那樣地輕輕搖著，牠的鼻子則不斷在我身上磨來磨去；我走的時候答應牠，第二天會再去看牠。

沒想到第二天清晨下了一場大雨，這在南加州的七月是很罕見的現象。我知道水晶完全沒有躲雨的地方，牠的主人一定沒有料到會下雨，牠的門口也沒有遮雨的棚子。我趕快收拾了幾條乾的毯子和幾個大塑膠袋，急急跑去水晶家。牠就站在那兒等我，全身濕透，抖個不停。我緊摟著牠，幫牠打理出一個不會淋到雨的地方讓牠躺下，安慰著牠，叫牠不要害怕。

幾天後，牠的主人回來了。他們謝謝我對水晶的照顧，而我和水晶之間的關係卻從此大不相同。如今我們的心已深深相繫在一起，維繫我們的是一股什麼樣的力量，當時的我並不太能理解，只隱約知道絕不止於我曾照顧牠的這層情分，而是一股神奇的力量

將我們牽引在一起。我漸漸覺得看著水晶被關在籬笆裡是件很不愉快的事情，牠可以在一個很大的後院裡跑來跑去，但是從來沒有人帶牠出去散散步，牠也從來不曾見識過牠家以外的世界。每當我和碧珠經過牠家，牠總會把頭探出籬笆，望著我們嗚嗚地哭起來。而我，只能含著淚，強自忍住那分衝動——我多麼想衝進去帶牠出來，帶牠到山谷間盡情奔跑！「我不知道爲什麼這隻狗會對我有這麼大的影響力，」我也和傑佛瑞討論過：「我知道牠的家人都很愛牠，牠也很愛他們。但我就是很想把牠從那道籬笆裡帶出來。」水晶從此成了我朝思暮想的對象，而我始終不明白所以然。

水晶的出走

有一天，我正坐在電腦前埋首寫作，隱約中好像聽見有人在前門敲門。我走下樓去，打開大門一瞧，真是非同小可地一驚，是水晶！牠極有教養地端坐在我的門前，狂熱地擺動著牠的尾巴！「你怎麼跑出來了？」我不敢置信緊緊地抱著牠。我帶牠走回對街，我的鄰居也嚇了一跳，不敢相信水晶會出走。「可能有人沒把籬笆門扣好吧！」她一邊猜測水晶跑出來的原因，一邊把水晶帶回後院。當我轉身回家，恍惚間似乎瞥見水晶對我微微笑了一笑。

之後，水晶開始在籬笆門邊挖洞。我知道牠的企圖，牠想逃出去，牠想到外面痛快

地跑跑。牠成功了，每隔幾天，我就會在我的門前階梯上看到牠，深邃美麗的一雙眼睛閃爍著開懷狂野的喜悅，爪子上還沾著厚厚的一層泥，碩大的身軀抖擻著無比的興奮。我的鄰居一次又一次把洞填回去，水晶便一遍又一遍地挖，一趟又一趟重覆著牠例行性的出走。我在心裡則默默地爲牠發出無聲的喝采。

有一晚臨睡前，我隨手抓起《與狼同行的女人》開始翻讀。作者亞斯迪道出了我們這些渴望靈魂復活、渴望忘情奔跑者的心聲。那天夜裡，我夢見了水晶。我看見牠偷偷挖著地道，逃出牠那圍得密不透風的後院，我聽見牠以最原始的嗥聲向我呼喚。第二天早上醒來，一切的一切，我都懂了。

水晶是我的一面鏡子，是我心底那個狂野女人的再現，是那個有生以來就被我鎖在重重門後，激情、神祕、本能的我的化身。長期以來，她從她舒適卻不自由的牢籠裡對我哭泣，那樣的哭泣來自長久的渴望，渴望不受拘束的自由行動、開懷忘情的奔跑和大聲唱出靈魂的聲音。她的哭聲召喚著我，於是我那焦躁不安的靈魂也不由自主地哭嘯著回應。我們原是來自同一個狼羣的姊妹啊，她以她靈敏如狼的方式，比我早看清這一點，她從我的眼裡，早已讀出我那徘徊不安的靈魂，正在我自己豎起的籬笆下，努力地扒著土，巴望著無拘無束地奔跑。

每一次水晶出現在我門口，我都會爲牠的出走暗自稱慶，因爲這是我很想做的事——

—穿透自己情感的藩籬，穿透從小到大奉行不悖的所有該與不該，穿透所有的畫地自限，限制某些部分可以展現給丈夫、朋友或人前，某些部分必須謹慎掩藏。現在我終於明白了。明白了自己何以焦躁不安。明白了是誰老在我耳邊出其不意地輕喚著：「跑啊……跑啊……。」那是我心底那個狂野的女人，多年來我不停地努力將她埋藏起來，她卻在不經意間從土裡冒了出來，聲聲警告著我：除非我能衝破自我的藩籬，否則終將窒息而亡。難怪差不多每五年，我就會發瘋似地撒一次野，幹下一些讓人震驚、甚至大逆不道的事！原來我就像一隻終於掙脫經年拴綁的狗，興奮地衝上了街，使盡渾身壓抑多年的精力，把所有鄰居的垃圾桶全給翻了過來。

只想出去走走

水晶給了我答案：我所嚮往的不是叛逃出走，而是自由；我並不想逃走，只是想出去走走。

水晶每次完成了牠小小的出走之後，總會乖乖地回到自己家裡。牠並不想永遠地離開那個家，牠只是想偶爾出去溜一溜，這也正是我的心意。我原就知道我再也不用遠走他鄉去尋找我的自由。我只是需要多一些喘息的機會，讓心底那個狂野的女人能出來盡興地跑跑。

是水晶教會我如何讓靈魂出來喘口氣。現在我不必再像從前那樣，三不五時得經歷一次狂亂的焦躁期，如今只有輕輕拂面的微風了。每當微風吹過，我知道那是提醒的訊號——該出去溜溜了。然後我爲自己休一天假，或寫寫詩，或出去和女性朋友聚一聚，或去聽一場感恩逝者（Grateful Dead）的音樂會、舞個渾然忘我。然後，回家。

妳怎麼知道什麼時候該讓自己的靈魂出來溜溜跑跑？當妳變得暴躁易怒、厭倦無聊、苛刻挑剔、惶惑不安、渾身無力或有些瘋狂的時候。妳想吃不該吃的東西，想把孩子送人，想告訴丈夫：「你自己去找你的鬼車鑰匙！」想搬去旅館住一天、躺在床上享受一頓豐盛美食、通宵看一晚上浪漫愛情電影。凡此種種，都是妳心底那個狂野的女人對妳的呼喚。弄清楚她到底想要什麼，滿足她吧，帶她出去瘋一瘋、玩一玩吧！

水晶喚醒了我之後沒多久，他們一家便搬到東部去了，水晶當然也跟他們走了。據說牠的新家有好幾畝大的地，現在水晶可以愛怎麼跑就怎麼跑了。我非常非常想念牠，每次經過牠的舊家，總會想起牠；但是我還是很高興知道，牠現在過得很快樂——牠的靈魂是這樣告訴我的。牠永遠是我最珍視的精神導師之一。

盡情地跑吧，我的狼妹妹。妳腳下的土地正歡愉地享受妳快樂的舞步呢！

為自己尋找真實刹那

以下是女性可以爲自己尋找真實刹那的一些方法。

●尋求獨處的時候

女性需要一些安靜的時候，安靜到只有我們自己的聲音是唯一的聲音。因爲我們習慣於把別人的聲音看得比自己的聲音還重要。大部分的女性都有這樣的習慣，尤其是從小就認知「上帝是男性」的女性更是如此。

有很長一段時間，我都是依靠男性來指引我人生的方向，而不信任自己心裡的主張。我大半生的光陰都花在崇拜一個又一個的男性，把他當做我靈魂的拯救者，而他們大部分也都不反對我所授與他們的地位。於是我有過一個大師級的精神導師，有過一個自認爲是心靈大師的丈夫，有過一堆強要我相信他們就是我導師的事業夥伴。以前的我總是忙於聽取他們的意見，以致沒有時間一探自己的心聲。

如果我們被教導：唯有藉著男性，才能找到上帝，
我們自然也習慣於向自己身外、
向我們的女性內涵以外，
尋求靈魂的牽繫，而不懂得向內尋找。

給自己一些安靜的時候，讓妳自己智慧的聲音可以浮現。這個聲音需要壯大起來，才不怕被其他企圖說服妳遺忘自己的感覺、違背自己知識的聲音給唬下去。每天記錄自己的心裡說過些什麼話，找個幽靜的地方散散步、細細地傾聽。很快地，妳就會聽見自己的靈魂在對妳說話。

●創造新的生命

在女性創造出新生命的同時，她也沉醉在自己所展現出的奇妙力量裡，那是一種能改變物體形式的奇妙能力。所以任何時候，妳想擁有真實的剎那，就創造一個新的生命吧，不論妳創造的是什麼——一個花園、一個蛋糕、工作上的一個妙主意、爲孩子編的一個睡前故事、寫給朋友的一封信、自我治療的活動或一個乾淨的廚房，妳都會感覺到生命的創造力在妳的體內奔流，把妳和大自然緊緊地連結在一起。

我深信我們需要經常創造生命，這是我們與真實剎那緊密聯繫的重要通道。有些女人一個接一個地生孩子，我相信不是因爲她們早有計畫，或真心想要再多一個孩子，而是她們已沉溺於生育過程所帶給她們的喜悅，那是感受自我和靈魂力量的唯一方式。更可能的原因是，她們其實正不自覺地在尋找自我的重生，渴望爲自己、爲失落的靈魂碎片、爲創造力尋找生生不息的夢土。

所有的女性都是母親，因爲她們所到之處，都會帶來生命和愛。所謂創造新生命，

應該是泛指一切富含創造力的活動，不是僅止於狹隘的生育下一代。我自己不曾生育過孩子，但我是個母親，我曾孕育過許多不同形式的生命，我創造了許多的愛。

●與其他女性結伴同行——亦師、亦友、亦姊妹

女性需要以女性爲鏡，才能映照出她們特有的女性美。當我們和其他女性在一起的時候，我們能凝聚出整體的力量，能憶起真正的自我，會記起屬於我們自己的舞步。

自古以來，女性一直從女性導師、祖母外婆和有智慧的長者處，尋求保護和啓蒙。她們一路帶引著我們，隨時提醒我們不要忘記優雅和自尊；但最近幾世紀，我們卻一直生活在以男性爲主導的社會裡；我們把權力交付給男人，任由他們來定義我們、教導我們、爲我們在社會中定位。

我們和古老大地之母——所有生命的源頭失去了聯繫，我們遺忘了自己神奇的力量，迷失了方向。

成就完整的人

從我十八歲踏上尋求性靈之路起，我就只有男性的導師。我尊崇他們在生命的力量和靜默方面給我的指導，但他們無法教我如何做一個女人。所以前幾年，我開始努力要找回完整的自我時，就一直希望能夠找到一位女性的導師來帶引我。我向上天祈求讓我

找到她，我知道，唯有找到她，我才有希望成就一個完整的人。

今年年初，傑佛瑞和我在加州的碧闊墟（Big Sur）爲幾個月後的婚禮，忙著籌備的工作。有一位幫忙的女士走過來對我說：「說起來可能有點奇怪，可是今天早上我無意間看到一本書，書後面有一對美國原住民夫婦的名字，我就很想告訴妳這對夫婦的一些事情。他們是一個非營利組織『一個地球、一個民族和平觀想（One Earth, One People Peace Vision）』的創辦人之一，這個組織的宗旨是要重建人類和所有生命之間崇高的關係。我也不知道爲什麼，就想到妳和妳的工作，我想妳應該要有他們的地址和電話號碼。」謝過了這位女士，並從她手中接過那張紙條，冥冥中有一個聲音告訴我：應該立刻去打這個電話。

我打了，並且約好第二天在他們住的那個古老小鎮上碰面——加州最早有傳教士布道的地方之一——聖胡安包蒂斯塔（San Juan Bautista）。這對夫婦，先生名叫小胡安·荷西·瑞拿（Juan Jose Reyna, Jr.），平常大家都叫他森尼（Sonny）；太太的名字是伊蓮·瑞拿（Elaine Reyna），平時大家都稱她「青鳥」（Bluebird）。森尼是個作家，力主環保，同時也是原住民的精神導師。青鳥是位藝術家兼人工影像研究者，也做傳統和現代原住民服飾的設計工作。在他們的小店兼藝廊裡，當青鳥直視我，向我走來，我心裡便升起了一個念頭：她就是我要找的人。

我們坐在灑滿了陽光的園子裡，開始侃侃而談。雖然是初見面，我們已經感受到彼此間有了深刻的牽繫，話題也不是表面的泛泛之談，而是認真地交換對「我們究竟從哪裡來」的看法。傑佛瑞將他的生活、夢想、脊椎指壓治療師的工作內容等，向他們娓娓道出。我也把自己這一路追求、探索的心得，和對更多真理的渴望一一向他們表白。

青鳥始終專注地傾聽，直到我的話說完，她凝視著我的眼睛說道：「妳知道嗎，芭芭拉，妳最需要的是一個姊姊。」我的淚水幾乎奪眶而出。從小我就沒有姊妹，連一個比我稍大可以指點我的女性都沒有。那一剎那，我知道我找到她了，她也找到我了。「歡迎妳回到我們最初的大家庭裡！」她大聲地宣告著：「我們的靈魂原本就相互深深牽繫，真高興今天能夠和妳重逢，我的小妹妹！」

自珍自重

從那天起，青鳥就成了我的姊姊、我的導師、我的好朋友。她常提醒我：「女性一定要記住：我們是神聖的，生命是藉由我們而誕生的。感謝造物主賜給我們生命的經驗。我們要頌揚生命，因爲生命是悲傷、是喜悅、是世間最貴重的珍寶。」這位美麗且謙沖爲懷的女性教給我的，是如何去尊崇這個世界和存在於世間的一切生命，如何尊重自己女性的身分，如何每天享有真實的剎那。

我的兩位女性精神導師——水晶和青鳥，都不是以傳統的方式出現，這可能因爲我本就不是個很傳統的女人，但是屬於妳的精神導師，不見得非以如此不尋常的方式出現不可。一定有很多導師在前頭等著妳、要帶領妳，也一定有許多女性的、美麗的靈魂等著幫助妳尋回屬於自己的真實刹那。她們就在妳的身邊——很可能就是妳的祖母、外婆，妳的姑姨妗嬸，妳的朋友、女兒。提出妳的問題，她們就會向妳現身，妳不必孤單地踏上自己的旅程。

謹以本章獻給我的姊姊和導師——青鳥，她的靈魂溫柔地坐在我的肩頭，帶引我追隨著她，飛過平野，越過山川，直上雲霄。她輕輕地催促著：「飛吧，我的小妹妹」，我便展翼而去……。

第九章

何不放下武士精神？

——給男性

五十年來，在我的統治之下，國泰民安。
我享有子民的愛戴、敵人的畏懼和盟邦的尊敬。
財富、榮耀、權力、享樂之於我，乃唾手可得；
俗世尋常的祝福，已對我的幸福無所增益。
此情此景，我所在乎的，
是我的生命中能擁有多少純真無僞的快樂日子；
到目前爲止，累算已有十四天了。

——西班牙國王阿布杜勒拉曼三世

男人要享有真實的剎那，實非易事，而他們的痛苦也大多肇因於此。深愛他們的女性為此痛苦，他們的孩子為此痛苦，整個世界為此痛苦。

我身為女人，無法以男人的角度來寫男人，但是從我這一生中所愛過的男人、共事過的男人身上所看到的，以及從求教於我的男性身上所體驗的點滴經驗，我都可以告訴你。這些心得來自謹慎的觀察，且已得到普遍的認同——或許不適用於所有男性，但的確能透露出絕大部分男人共有的現象。

這個現象就是：男性因為享有的真實剎那不足，已瀕臨垂危——因為剝奪了自己享有愛和親密關係的權利，他們的情感已處於彌留狀態；因為渴求永無止境的成就，生活經常失去平衡，他們的體力已消耗殆盡；他們不知道什麼時候該停下來休息，筋疲力竭；因為不懂得向內自省，不懂得如何踏上追求神聖自我之旅，他們的靈魂已危在旦夕。

他想逃、想休息

如果妳深愛著一個男人，或許已從他身上察覺到這一點：總覺得有一些東西不見了，但是又說不出來究竟少的是什麼。妳只知道這和他工作勤奮無關，和他有多少空閒時間也無關，和他的年紀更無關，那是個看不見、也摸不著的東西。比較恰當的說法

是，那是他心裡的某處，一個讓人悠然自處的地方、一個屬於靜默之處、一個感受情感的地方、一個承接愛的奧祕之處，那是一個他自己不常去到的地方。妳渴望在那個地方和他相遇，妳已經到了，苦苦等待，他卻遲遲不來。

如果你是男性，你可能會經歷這種對真實剎那的渴望。這種渴望以男人慣用的詞彙來說，它是一種對休息的想望，想要逃離生活中無所不在、永不歇息的強勁律動。那是個讓人很不舒服的強烈想望，想去某個地方——只要能離開現在身處的環境就好。你知道這個想望不是換個工作、換輛車子或換個女人就能滿足的，那是發自你心底的聲音，一個你想回應，卻不知如何開口的召喚，那是一個永遠擺脫不掉的煩惱。

這就是男人和真實剎那的故事：真實剎那只關乎存在的方式，非關行動；男人，卻是十足的行動者。

自盤古開天以來，男人便練就了一身的好本領——打獵、蓋屋、保護弱小。那是上天派給他們的角色，從此他們便以工事、勞動和成就來定義自己，並決定自己的價值。相反地，女性向來被要求善於處理人際關係——我們讓每一個人開心，扮演滋潤、關懷的角色，我們於是愈來愈長於感覺和自處。

到了二十世紀，這樣的角色分配開始有了些微的改變，但相對於歷史的長河，短時間的改變並不能對我們造成太大的影響。習慣自有它的韌度，不可能一朝消失無蹤，與

生俱來的記憶仍然影響了我們大部分的價值觀和行爲。我永遠記得我母親如何描述我和弟弟大相逕庭的童年模樣：「妳總是乖乖地坐著看人，或畫畫，或玩紙娃娃。」她說：「但是你弟弟邁可卻一直動個不停，他從不乖乖坐著。」母親的話一點也不假。我們都叫邁可「家具搬運工」，因爲他從很小的時候開始，就老是喜歡把每一樣東西搬來搬去。如果我們不准他搬屋子裡的東西，他就會走來走去。家裡爲小邁可拍過一些影片，從影片上可以看到，他那時還不會說話，卻已經在屋子裡轉啊轉地跑個不停。

目標取向

男人是十足的行動者，那是與生俱來的本領。天性使他們以工作、以行動來決定自己的意義和價值，他們在乎自己的行動是否有助於計畫的完成、是否能爲車庫搭出一個新雨棚、是否是玩牌好手。男人認爲只有在這上頭，他們才能找到滿足。

但是男人的工作性質近年來起了巨大的改變。由從前的征服者、冒險家、軍人，演變到今天的會計師、業務員、電腦程式設計師……，他們像是派錯了戰場的戰士或沒人雇用的探險家。他們從工作中得到的成就感，遠不及他們的曾祖父、玄曾祖父當年爲家人蓋出一棟房子、擊退敵人或犁田種地時所得到的滿足和驕傲。因爲享受不到足夠的真實剎那，他們覺得距離人生的意義愈來愈遠。

男人只有在具體的世界裡，一切都看得見、摸得著、量得出，才會覺得自在；他們以目標爲取向。他們給與行動如此高評價的原因，是因爲行動能產生結果，而這樣的架構正吻合他們的價值觀。

然而能帶來真實刹那的經驗，如我們所知，並不必然是那些顯赫耀眼的功績或成就。那些經驗通常較沉寂、較深邃，而且它們的益處不僅肉眼不易看見，甚至不易探觸或得知。也就是說，這樣的經驗絕非男性所崇尚，因爲他們很難從中衡量出自己的價值和意義。如果我是男人，我多工作了兩小時，得到一筆加班費，那是實實在在可以放進口袋的好處——這是有意義的。但是如果我用這同樣的兩小時來和太太聊天，或自己一個人去散步，能得到什麼好處嗎?或許有，可是我沒有辦法度量這個好處，所以對我來說，其中的意義和價值便遠不及加班來得大。

由於價值觀的不同，使得男人和女人之間永遠存在著沒完沒了的衝突和挫折。妳向先生提議，想和他坐下來聊聊。他的反應是：「聊什麼?」頓時，讓妳煩躁困擾不已。爲什麼聊天還得有題目呢?難道「妳想和他聊聊」這個理由還不夠充分嗎?不夠，的確不夠。對男人來說，「分享親密的片刻，坐在一處聊聊」其中的意義，可能完全不同於妳的想法。女性如妳者通常看重的是相知相屬，而男性重視的卻是實際的行動。

我們女性只要不必照顧別人，可以專心對待自己，通常就都頗能怡然自處。這也是

爲什麼我們總是很喜歡享受什麼事也不用做的片刻，尤其是和心愛的人在一起的時候。因爲我們知道，這樣的片刻總會帶來甜美的真實剎那。

男人不該再汲汲於追求立即可見的收穫，應該學著感受一下當下，體驗一下發生在此時此地的一切。真實剎那屬於一個超越時間、肉眼不可見的領域，其價值無法以世俗方式來計算或度量；一旦你意圖度量，真實剎那便離你遠去。

美國作家柯殷（Sam Keen）曾說：

抱持一切存疑的生活態度，不過就是凡事問、每事問。

回歸真實剎那之旅是一趟疑問之旅，沿途困惑不斷，如同我們在第四章裡提到過的各種問題——「我是誰？」「眼前的生活是我自己真正想過的生活，抑或是別人的期望？」「我快樂嗎？」「我付出夠多的愛嗎？我得到夠多的愛嗎？」……提出問題之前，你必須先克服對無知的恐懼，有勇氣去在不確定中暫時生活。

勇敢說「我不知道」

這對男人來說可不是件簡單的事。男人是很務實的，他們要的是可以掌握的、肯定

的、標示得清清楚楚的一條路。無以名狀的、模糊的、顛簸多變的、神祕的事物（這其實是對女性心理狀態的最佳描述！）常令他們不安，甚至害怕。在這種狀態下，他們要對未知的一切提出問題、找尋答案、冒險探索，都有相當的困難——畢竟這是他們所不熟悉的領域。

女人愛提問題，男人愛掌握答案。提出問題，意味著不知道答案。一般來說，女性並不怕說出一句形式上像是無知的「我不知道」，畢竟我們一向長於全然交出自己、放手認輸。每一次作愛、每一個月的生理期、每一次分娩、每一次送孩子出門上學，都是一次又一次交出自己、放手認輸的實踐。你會發現比較多的女性專注於個人成長、參加各種輔導團體，或購買各種自助活動的書籍來看，她們也比較常求教於心理醫生，因爲她不怕問問題，甚至能從中得到啓發，而且通常不急於立刻要有答案。

男人正好相反，他們喜歡有答案。對男人來說，知識是另一種形式的行動，是精神強度的展現。我見過有些男人，兜了好大一個圈子，就是不願意說出那句：「我不知道」。他們情願嘟嘟噥噥說一大堆：「我不想談這件事。」「你怎麼這麼不知足？」「你閉嘴好不好？」或者是「放輕鬆，所有事情都在我的掌握之中。」他們就是不肯承認，他們的腦子還沒理出一個清楚的答案，只好閃爍其詞或來個相應不理，如果你堅持再問下去，他們還可能發你一頓脾氣，把你嚇走，好爭取到更多的時間把事情弄清楚，

再回到能夠掌握一切答案的穩定狀態。

忍受不確定

柯殷（Sam Keen）在《腹中火》（*Fire in the Belly*）一書中，描寫男人尋找自我的神聖之旅是一段又一段充滿了變化的過程：「從篤定堅信到惶惑狐疑……，從無所不知到一切存疑。」一切存疑意味著一直處在交出自己、放手認輸、失控的狀態中。這和男人向來所受的訓練完全背道而馳，他們從小就學著要駕馭、克敵致勝、堅強不認輸、征服一切、永不低頭。我這樣的描述絕無絲毫不敬，相反地，我十分推崇這些德性。靠著這些美好的德性，使得男人擊退敵人、保衛家邦、深入叢林覓食以養家活口、和兄弟團結一致共同抵禦外侮、不畏艱辛攀過山頭建立新家園。

但是男人如果想追求真實剎那，就必須鼓足勇氣放下所有的武士精神，因爲武士精神對他和他的人際關係只有傷害，而無建樹。這也就是說，他得學著對另一半說：「我不太確定」、「我還需要一點時間來想一想」、「能不能請妳慢一點？我還不太清楚妳的意思」、「妳想要什麼我還沒給的」、「我們可以怎樣換個方式做」……，還有，「對不起」。有時候，他還得忍受生活上的一些不確定，放開心胸接納神祕難解或意料之外的事情，體會一下無所事事全然放心當下的經驗，同時仍清楚明白：你依然是個不

折不扣的男人。

這就是我們女人對你們的要求，我們希望你們和我們一起共赴性靈之旅；我們想和你們攜手探索未知的一切；我們要的是性靈上的同志，共同拓展新的親密關係、開發新的激情、尋找新的快樂；我們要和你們一起在愛之中不斷進步，我們不願留你們在後面苦苦追趕。

儘管你已被多年的教養訓練層層制約，儘管你身體裡的每一個細胞都在叫嚷著：「只要一認輸，我就不是男人了」，你也一定要知道，並且確信：至少在我們的眼裡，你是我們最崇拜、最引以爲榮的鬥士，是我們心目中最勇敢的英雄。

神聖的眼淚

接下來要談談你們男人最害怕的話題了：情感。你知道遲早得面對這個題目的，因爲不論是與愛人之間、與孩子之間或是獨處，若要享有真實剎那，你就非得心甘情願全

不願無知，最令男人痛苦。
這會讓他們停滯不前。
無知使他們在原地打轉，無法自我突破，
提昇到感情與性靈自由的另一境界。

神貫注於情感不可。偏偏大多數的男人都十分拙於此道。

幾世紀以來，在情感的世界裡，女人活得生意盎然，男人卻始終像個局外人。爲了生存，你不得不變得無知無覺、不帶感情。否則，富於惻隱心的你，如何能赤手勒住另一個男人的喉嚨？心懷恐懼的你，如何能面對全速衝來的野獸而仍舉矛以待？陷入「我不殺人，人便殺我」煩惱的你，如何在明知會殃及無辜的情況下，仍服從命令將手榴彈擲向敵人的村落？

即使到了二十世紀，環境依舊不變，現代商業社會和古戰場一樣血腥、不講道義；心狠手辣的男人不斷得到晉升的機會，而被認爲「太過軟弱」的，便難逃被淘汰的命運；凡稍露懼色的，休想贏得尊敬；能展現出無可動搖的信心，便是領袖的上上之材；現代人只是手上的武器換了，遊戲的規則絲毫未改。

你爲了男性氣概，付出了可觀的代價：成爲一個「男子漢」的種種條件，恰恰足以使你變得麻木無情。你的難題就在這裡。你不可能一方面斷絕了恐懼、羞恥和悲痛的能力，另一方面仍保有對歡樂、愛和同情的感應。太多男人徘徊在不爲人知的絕望裡，他們的情感凍結，不能或不敢稍做宣洩；妻子兒女來到你的跟前，乞求你加入情感之舞，你搖搖頭斷然拒絕了她們的請求。她們轉過身去哭了起來，認爲你不愛她們了，怎麼也猜不透你還有個小心藏起的祕密，那就是：你早把舞步都忘光了。

　　如果你對自己夠誠實，如果你能自省，你會看見那些伴隨男子氣概而來的累累傷痕，就是這些久創不癒的傷痕，讓你過不得原該享有的快樂生活，讓你放不下身段和所愛的人盡情狂舞，讓你離真實剎那愈來愈遠。如果你還想活得像個完完整整的人，而不止是像個男人，這些傷口疤痕都是你必須去征服的新領域。柯殷以其男性之身再次說：「男人在得到重生之前，值得悲哀的事還多著呢！」

　　要面對你的傷口，要融化凍結了的情感，需要勇氣、寬恕和眼淚。我相信每一滴眼淚都是神聖的，它讓我們知道封結心房的冰開始溶化了；雖說男兒有淚不輕彈，但是淚水能爲你帶回一片片你甚且不自知曾經失落過的自我啊！在多年的教學經驗裡，我很榮幸能眼見數以千計的男人自從告別孩提時代後，又再次掉下珍貴的眼淚。那是十分莊嚴神聖的機遇，一如目睹一個新生命的誕生。當你衝破那麻木虛假的外表、重新爲人之際，有一位善體人意、對你關懷備至的助產士在身旁給予適時的幫助，對你會有莫大的助益——任何一個心胸開朗、有愛心的女性都願意助你一臂之力，尤其是一直就在你身

要戰勝一個傷口，
必先治癒它；
要治癒它，
你得先感覺到它的存在。

旁的另一半！

愛你的女性將會十分珍惜你以淚相贈的真實剎那。

記得傑佛瑞對我有了足夠的信任，第一次在我面前不再隱藏他的悲傷、痛苦，還讓我擁著他、給他安慰，我心中有說不出的感激。他打開了心底最深處的密室，邀請我走進去。除了這個舉動，再沒有別的更能表達兩人之間的親密愛意了。

一旦知道該去做什麼情感上的功課，就快努力去做吧。這是你對婚姻、對孩子或對自己所能做的最重要的承諾。

男人的寂寞

男人喜歡成羣結伴。他們喜歡成堆人一起看球賽、成羣去喝酒、圍在飲水機旁邊閒聊、結伴去釣魚。在羣體裡，他們有安全感；在羣體裡，他們可以不必覺得孤單，不用面對洩漏心事的壓力。儘管如此，就我所知，大部分的男人仍是寂寞的，不是因爲缺少死黨，而是他們沒辦法在一起體驗真實剎那。

這種寂寞不是一眼就能看出來的——它比較接近被孤立隔離的感覺。一堆男人在一塊兒聊的多是無關痛癢的事：誰贏了昨晚的牌局、誰花了多少錢換了個排氣管、對新來的祕書品頭論足，唯獨心底事絕口不談。「最要好」的哥兒們之間，不知道有人婚姻觸

了礁、有人爲年邁的雙親煩惱、有人性生活出了問題或有人已經拖了好幾個月的帳單沒付……，這一點也不稀奇，因爲他們根本從來不談這些問題。

最近一個關於男人之間親密程度的麥吉爾（McGill）研究報告中發現：

●每十個男人當中，只有一人有一位同性朋友，彼此可以商討工作、錢財或感情問題。

●每二十個男人當中，不到一人有一位同性朋友可以談論對自己的反省、性方面的問題或其他更隱私的話題。

這裡面所透露出來的訊息是，大多數男人從來不和其他男人討論生活裡真正重要或比較個人的事。他們不曾和同性朋友——他們心靈上的兄弟，一起享過真實剎那。

上個月，傑佛瑞和我偶爾談起我們的一位好朋友，也是傑佛瑞最要好的朋友之一。我說：「他和他太太之間出了那麼大的事，聽了真讓人難過。」

「妳在說什麼？」傑佛瑞一臉疑惑地問我。

「你知道，他們爲了錢的事已經吵了好久，兩個人鬧僵了。」原來傑佛瑞根本不知道有這麼一回事，我問：「親愛的，他連提都沒跟你提過嗎？」

「沒有，」傑佛瑞十分驚訝：「我昨天才和他講過話，他還跟我說一切都很好。妳什麼時候和他說過話？」

「今天，他在電話裡當場崩潰、泣不成聲。」

傑佛瑞竟然對如此一位好朋友的生活近況一無所知到這個程度，我們倆都不禁搖頭歎息。究竟我使了什麼法寶讓他對我開金口？其實很簡單。我問他婚姻生活近來如何，然後我聽出他的聲音裡有些兒猶豫，我便進一步鼓勵他說出來，這是多數男人會覺得不自在的做法，而我突破了男人的禁忌——「不可探人隱私」，正因為我是女人，我完全不受這禁忌的限制。

男性之間

男人在成羣結隊時所展現出的那種自在，會在他和另一個男人單獨相處時消失無蹤。原因就在於，兩個人單獨相處時的互動關係常會觸及較親近的相處方式，如果你知道和女性之間的親密關係都能使男人害怕，你便可以想像和另一個男性有親密關係，會讓男人感到多麼恐慌。

如果你是男人，請你想像一下這樣的情景——和另一個男人在深夜裡坐在壁爐前聊天。你們分別將自己最深邃的情感、最私密的念頭向對方透露。你感受到長久以來不曾有過的被了解，那分了解甚至是你所愛的女人也做不到的，因為她不是男人。你和你這位朋友之間的關係是如此密切而有生命力，一股源自兄弟之愛、同性之愛的力量在你們

之間相互交流。

卻在一回神間，你覺得不自在極了。你和另一個男人之間竟然有了愛的感覺。如果你是個異性戀者，你一定會感到很慌張、害怕，心想：「我不應該有這種感覺。這到底是怎麼一回事?」然後你會立刻做出一些舉動來斬斷這樣濃而密的關係——開個玩笑、站起身來伸個懶腰或換話題；甚至你很有可能從此和這個朋友避不見面，讓這個經驗可能帶來的所有意義逐漸淡化、消失。我認識一些男人便是這樣刻意製造了一些很牽強的理由來結束友誼，只因爲他們害怕和另一個男人之間產生愛的感覺。

這是一種恐懼同性戀的行爲，是錯把愛的刹那當成性的誘惑了。你誤以爲這不只是愛的真實刹那，還有什麼其他的意義或後果。你對自己的經驗下錯定義、給錯結論了！而多數男人卻連這一步都走不到，他們根本不會和另一個男人分享親近的對話。他們對這種恐怖的經驗有一種不自覺的預期和走避，造成男人和男人之間永遠保持著一段不可及的距離，結果就是男人在同性之間，永遠沒有真正親密的朋友。

男人擔心同性之間的親密關係，會使友誼變得尷尬彆扭。我不諱言女性也有一樣的問題。女性對於同性朋友之間的親愛也有一定的忍受程度；只是通常我們所能到達的境地，已經足以使男性驚慌喊叫、奪門而出了。

美國詩人布萊（Robert Bly）有言：

無法和其他男性靈犀相通，會是男人最致命的創傷。

每一個男人都需要在心靈上與別的男性契合，他需要找到一種感覺能代替對父兄的仰望之情，這是他向來需要、但可能從沒有得到過的。他需要在愛侶之外，也和別人有親近的關係，使得女伴不致成爲他宣洩情感的唯一對象。他需要能讓自己看清男性作風的借鏡，也需要心靈上的友伴，來證實他人生旅程的價值，這是女性所無法做到的。

所以，去找一個朋友，摘下你的面具，讓他認識真正的你，不必害怕你們會太親近，那不過是一種愛罷了。

在你踏上真實刹那之旅前，還有一些最後的小祕訣可以提供給你：

● 定期撥出一些獨處的時間，遠離眾人。
● 開始寫日記。（聽起來很老套，但是女性幾世紀以來已清楚知悉，每天寫下所思所想的神奇效果。除了你，沒有人需要看它。）
● 耐心培養一個可以一起成長的好朋友。
● 少做。
● 多問。
● 脚踏實地。

●傾聽自己的心聲。

●困惑的時候，請你身邊的女性幫你一把，助你享有更多的真實剎那（那是我們的榮幸）。

第十章

與子女一同成長

五十年後，
不論你開的是什麼車子，
住的是什麼房子，
銀行裡有多少存款，
穿的是什麼樣的衣著，
都不重要了。
唯一能讓你覺得世界還是美好的，
是你在子女的生命中仍占有重要的地位。

——無名氏

走筆至此，所有關於享有真實剎那的理論或方法，都適用於你和家人之間的關係。但是在這一章裡，我要特別談談有孩子的家庭，因爲有些特殊且重要的事情是我們在愛孩子的同時，必須牢記在心的，也因爲在這個充滿挑戰、常令人怵目驚心的年代裡，孩子比以往任何一個時代更需要我們的愛和支持。

孩子就像是一顆顆種子，長大後會變成一個花團錦簇的美麗園子。今天我們在任何一個孩子的心靈種下的因，明朝結的果會影響成千上萬的人。這也是我們常將兒童與希望聯想在一起的原因——他們是我們打破成規、甩開既往包袱、創造美好未來的機會。因爲他們，我們才可能擁有更健康的新開端。

先照顧自己

孩子將來的發展終會反映出你自身的狀況。你永遠是孩子們生命中最具有影響力的人之一，因爲你的任務就是灌溉這顆種子，好讓他長成美麗的花園。你知道這原本就是你的本能，所以你自會竭盡所能供給孩子一切你不曾擁有的，並且無微不至地照顧他們。但在你誠心誠意的努力中，你可能忽略了一件很重要的事：如果你不能好好照顧自己，就不可能成爲稱職的父母。

如果你的任務是要灌溉子女心靈的種子，那麼你得先確定自己的水桶已裝滿了水。

你自己的心必須先無匱乏，在爲孩子付出之前，你必須先確定給了自己足夠的愛與支持，並已享有足夠的真實剎那。

在滿足孩子的需要勝於一切的藉口下，很多父母都很可憐地先放棄了自己的需求。出生於五、六〇年代的戰後嬰兒潮，特別常犯這個毛病。我們一直努力做個超級父母，供給孩子所有的教育機會、娛樂活動和物質享受——我們把上一代無法給我們的一切，都給了下一代。誠然，也有許多疏忽大意的家長，拿電視當電子保母，從不知道孩子需要的是父母的關注；但大多數這一代的父母，總是連留一點點時間給自己都會有罪惡感，害怕將來有一天，孩子長大了會指著我們的鼻子怪罪道：「都是你的錯——如果你那時候不去度假（不去健身房、不跟朋友去喝下午茶、不回學校去進修），我今天就不會變成這麼糟！」

我認識一位完全爲孩子而活的女性，她放棄了一切的喜好、興趣、甚至朋友，只爲了把每一分、每一秒都留給她的兩個寶貝女兒。最近，我說服她和我一道吃個中飯，可不簡單啊！我到她家去接她出來，在門口道別的那一幕，真會讓人誤以爲她是要去非洲度假三個星期——她向保母一一交代列在五張清單上的每一事項，然後一遍又一遍地告訴女兒，說她出去兩個鐘頭馬上回來，最後還爲丟下她們而向她們道歉。等我們一到餐廳，她立刻撥電話回家探問孩子們在做什麼。

「瑪琳，」我說：「妳才離開二十分鐘啊，妳真的需要現在就打電話給她們嗎？」「她們不習慣我不在身邊，」她點著頭回答：「沒有我陪著，她們會生氣的。」「可是她們已經不是小娃娃了呀，」我提醒她：「她們一個五歲、一個七歲了，這樣下去，她們怎麼學得會獨立呢？」

「也許我太寵她們了，可是我絕對不要她們像我小時候一樣，覺得被忽略了。」對我來說，有一番話的確很難啓齒。我如何對她說，她其實已完全忽略了自己？我又該怎麼說，我已經看出她的孩子是多麼缺乏安全感，只因爲她們不曾學著離開媽媽，離開一下下都不行？

不以犧牲取悅他人

爲了兒女而忽略了自己，對孩子其實沒有一點好處。如果你所做的一切都是爲了孩子，完全不顧自己的需要，那麼你教給孩子的只是：如何犧牲自己以取悅他人——這是一個絕對行不通的價值觀。

或許在他們還小的時候，他們會喜歡被人伺候得周周到到；但這會把他們慣壞，他們會變得缺乏想像力。等他們長大，從你身上，他們看到的是一個落落寡歡、有夢難圓的人。知道你曾爲他們拋棄一切理想，更會令他們愧疚不已。

我可以向你保證，你的孩子絕不會在長大之後對你說：「爸爸、媽媽，我很感激你們爲了不讓我聽到一個『不』字，而徹底犧牲了你們自己的快樂、你們的親密關係，甚至犧牲生而爲人該有的進步與成長。我很高興你們爲了滿足我每一個願望，而曾經如此愁苦。謝謝你們這樣不爲自己的生命全心以赴。等我有了自己的孩子，我也要像你們一樣，爲孩子放棄所有人生的樂趣和理想。」

如果你能運用時間豐富自我的心靈，孩子就會學著豐富他們自己的心靈，而不會陷於情感的真空。與其爲孩子犧牲自己的生活，不如爲他們活出一個值得仿效的典範。

孩子到底最想從我們——他們眼裡的大人身上得到什麼？

- 他們要的是被愛和被肯定的感覺。
- 他們希望自己能使父母的生命改觀。
- 他們需要知道自己的真性情、真面目能被接納。
- 他們要感受父母以他們爲榮，且不會希望他們是別家的小孩。

孩子會從觀察你的生活中學習。
如果你懂得爲自己撥出時間
享受真實的剎那，
你的孩子也會學著爲自己做同樣的事。

每個孩子都需要確知父母是如此關愛自己，才可能發展出健康平衡的自尊和自愛。

孩子稀罕的是愛

和孩子分享真實剎那，是讓他知道你重視他、是讓他感受你愛他的最佳途徑。孩子們稀罕的是愛，不是玩具。然而不幸的是，我們常企圖以物質享受，來彌補溝通交流的真實剎那之不足。對許多家長來說，這個做法方便多了，省時又省事，較之於和孩子共享一段真誠的、愛的時光，他們寧可上街去買個新玩具了事。

洛杉磯大地震之後，發生了一樁類似這種價值混淆的新聞，教我驚訝不已。地震發生在星期一的凌晨四點三十一分，幾個小時之後，一位電視記者在街頭採訪地震帶來的各種災難和損傷，忽然在一棟大樓前面，他發現許多人大排長龍。當時他以爲這些人一定是排隊領取急救用品、配給的糧食飲水，或是等著購買緊急照明用具，因爲當時大半個城市的供電設備都毀了。可是他完全猜錯了。

這一大堆人在地震後幾小時爲什麼會大排長龍？原來是當時最最熱門的玩偶——「神風突擊隊」在那家店新上市！這些父母無視一次又一次的餘震，把受了驚嚇的孩子交給親友，留他們在滿地碎玻璃的家裡，自己跑到街上去排三個鐘頭的隊，只爲了等商店一開門，買一個塑膠做的小戰士！

我相信這些父母的出發點都是善意的。可以肯定的是，他們大多數心裡都在想：「我打賭這個『神風突擊隊』會讓我的小吉米覺得開心一些。」可是，當天早上那些被嚇壞了的洛杉磯小孩，最需要的絕不是那些塑膠小戰士。他們需要的是安全感，需要知道：就算再來一次一樣大、甚至更大的地震，他們也會安全無恙。他們需要說出自己的害怕，他們需要有人緊緊地摟著，他們需要愛。

親子心靈相繫

許多兒童擁有豐富的物質享受，卻獨缺與父母親密相守的真實剎那，這毋寧是個悲劇。我們不常以「親密關係」（intimacy）這個詞來形容和孩子的關係，我們用它來描述和愛人之間的親近程度。事實上intimacy這個字，源自拉丁文裡的intimus，意思是「內心深處的」。所以嚴格來講，「親密關係」是指與另一個人內心深處緊密牽繫的經驗。和孩子共享親密關係，就是指你和孩子靈魂相遇——這是真實剎那中最可愛、最寶

如果你以物質供應來代替愛，
你等於是告訴孩子：
能帶來快樂的，
是物質享受，不是愛。

貴的部分。

你的孩子渴望與你共享這樣的真實刹那，他們渴求親密關係，渴求得到你的時間和你全部的心思。全心全意地對待孩子，會令他覺得自己很重要，讓他對自己和他想要說的話有信心。用十分鐘，把你百分之百的注意力和愛放在孩子身上，勝過你花十個鐘頭不斷換花樣逗他，卻完全無視於他的心意和想法。

我們這些成年人之中，有多少人深愛著父母，但卻遺憾父母不曾真正懂得我們？有多少人覺得父母不曾投下任何時間來認識我們，了解我們的想望或害怕？我們之中有多少人曾經置身在豐盛的物質享受裡，長大後驀然回首卻尋不到任何一絲真心交流、無條件關愛的記憶？有多少人至今仍爲父母無法了解我們而暗自飲泣？

和你的孩子坐下來，看看他的內心深處，仔細聽聽他的話語，發掘出藏在裡頭那個獨特而美麗的靈魂，這世界上再沒有第二個人能和他一模一樣。

離婚父母的難題

養孩子原本就是一個大挑戰，對單身或離了婚的父母來說更是如此。他們的心經常被那段失敗的感情所帶來的罪惡感啃蝕著，深怕自己的失敗會爲孩子造成人格、情感各方面不良的發展。於是，他們都變得很擅長於我所謂「帶著罪惡感的愛」——那是一種

投注在孩子身上，讓人透不過氣來、奮不顧身、無時終了的關注。那彷彿是他們宣判自己罪行，要以這種方式來贖罪懺悔：「離婚已經毀了孩子的正常生活，所以現在我不該再有任何享樂。我不要再去約會、不再去交朋友，或許這樣可以多少彌補一點我的罪過。」這類父母較一般人更難享有自己的或與孩子共有的真實剎那。

在你爲自己做了一些事之後，會覺得很不好意思或想要解釋什麼的時候，你就知道：你已經成爲「帶著罪惡感的愛」的犧牲者了。你發現自己經常爲不必要的理由，向孩子說抱歉：「媽咪今天要去牙醫那兒幾個鐘頭，不過我保證，接下來這整個禮拜的每一秒鐘都會跟你在一起，好不好？」這樣的話帶給孩子的訊息是：你存在的唯一理由是做孩子的奴隸，任何時候你想要滿足一下個人的需要，就是違規。

我有一位朋友是離了婚的父親。他拒絕涉入任何一段新的感情，因爲「那可能會對孩子不好」。孩子和他一起度週末時，他會連朋友的電話都不接。「我不要他們再有被我拋棄的感覺」，這是他的解釋。你能想像他的孩子變成了什麼樣子嗎？他們旁若無人、自私、成天抱怨哭叫，只知有自己、不知有別人。對大人所給予的關注和逗樂需索無度，無法自己安安靜靜地待五分鐘。他們怎麼不會變成這個樣子呢？這是他們的父親犧牲自己一切需要和欲望，在無意中所教給他們的。

這個社會的高離婚率已經造就出一個全新的種族——「迪斯奈樂園爸爸」。就像我

那位朋友一樣，他們是要把兩個星期的愛和娛樂全壓縮到兩天裡的「週末爸爸」，他們和孩子見面的時間，每個月就只有那麼一次或兩次；每次來接孩子的時候，手裡總是抱滿各種賄賂用的玩具禮物，意思就是「我帶這些東西來給你，你就不會再氣爸爸沒有跟你們住在一起了」。他們讓孩子痛快地吃各種垃圾食物、看恐怖電影、玩到三更半夜，所有媽媽不准他們做的事，週末爸爸都一一縱容。他們是永遠面帶微笑的好好爸爸，把所有不討好的規矩訓練都丟給媽媽。

多年前，我就是這類孩子中的一個，讓我以一個過來人的身分告訴你們——我們其實衷心地痛恨那些贖罪式的禮物，和那些瘋狂的週末相聚，雖然你以爲這樣就可以補償所有讓我們傷心的事實：你不能每晚送我們上床睡覺、你總是把媽媽弄哭、我們不再能擁有一個完整的家。我們討厭你把玩具、娃娃、新衣服塞進我們手裡時那種得意的眼神，等著看我們爲這些新東西歡天喜地，好像真的以爲我們還小，小得還不懂得其實你是在收買我們的心。你餵我們吃、逗我們玩，像對待一隻心愛的寵物；等到週末結束，你大大鬆了一口氣，爲自己當了一個週末的好爸爸而感到心滿意足，你覺得一切都很好，卻看不到我們所感受到的屈辱。

看著你走到車子旁邊向我們揮手說再見，真想用盡我們那小小的肺活量，向你尖叫：「一點都不好！那些笨玩具、笨禮物可不能讓萬事如意！你爲什麼不好好跟我說說

話?爲什麼你看不出我有多難過?爲什麼你就是不會抱抱我,告訴我你有多愛我?」

這是你的孩子真正希望你知道的,不管他只是個五歲大的孩子或是已經兒女成羣的五十歲大人,也不論你是他們離了婚的父母或是還相守在一起:所有我們曾經渴望的或現在想要的,不過就是和父母在一起共享真實的刹那——那些父母看著我們、接納我們、愛我們的時光,如此而已。

以兒童為師

小孩子天生就知道怎樣享受真實刹那,他們可以永遠活在當下。在他們的眼裡,這個世界每天都充滿了驚喜和神奇,所以能爲每一件最平凡無奇的事增添奇幻的色彩。以這樣的方式來看待世界,於是壁紙上的抽象圖案設計,變成了引人入勝的圖畫,老舊的圍巾成了美麗的舞衣,家裡忠實的老狗變成保護少年王子的勇猛獅子。每一樣東西、每一個動作,都有了特別的意義。

印象中小時候最愛玩的不是從店裡買來的玩具,而是我和我弟弟一起製造出來的魔幻時光。我們最愛做的一件事,就是用紅色的大紙箱來蓋房子,再把媽媽的一條舊絲巾搭在紙房子門口,然後就可以在房子裡坐上好幾個鐘頭。我們會假裝自己是在沙漠中一個阿拉伯式的帳篷裡面,有一盞罩著透明紫色紗巾的小燈,照著我們這方小小的隱身之

所。這是我們分享小祕密、互訴心事和願望的地方。

每一個孩子都知道怎樣打開奇幻王國的大門。如果你需要體驗更多生活中的真實剎那，去請一位小朋友帶你到孩子的世界裡走一遭吧！花幾個小時，甚或一天，緊緊跟隨他們的腳步，不論他們做什麼或玩什麼，你都跟著去做去玩，漸漸地你就會憶起如何從孩子的角度來看這個世界。如果你夠細心，你會發現，其實孩子們隨時都在邀請你進入他們的魔幻世界，只是你總是拒絕了他們的邀請。他們要送給你的是稀世的珍寶——享有真實剎那的機會。

由孩子做嚮導

上星期的某一天，我正在附近散步，遇到一個也住在這條街上的小朋友，叫做雅麗絲。我停下來和她打招呼，她告訴我她在找快要凋謝的花，準備做成乾燥花，然後貼在圖片上。我的第一個反應是，散完步之後得趕快回到我的電腦前面，我的書正寫到一個緊要的章節。不過念頭一轉，我的書寫的是「活在當下」，而我正需要多享受一點這樣的時光呢。於是我問雅麗絲，我可不可以幫她一起找花，並且建議我們可以到我家後面大花園去找，那裡有更多花。

接下來的一個小時，雅麗絲和我在我家後院裡，四處搜尋折了枝的、快凋謝的花

朵，或是已經落在地上的花瓣。她告訴我哪些顏色擺在一起特別相稱，枝和葉要怎樣和花朵搭配會更漂亮。約莫十分鐘之後，我發現一天的緊張和疲勞開始慢慢消失了，沒多久，我便專心且愉快地和那位九歲的小朋友一起沉浸在採花的樂趣裡。那真是一個可愛的下午。

每隔幾個星期，我總要專程去找這些鄰近的孩子們，和他們分享真實的剎那。我、碧珠和三、兩個小朋友就坐在路邊閒聊——聊聊學校，聊聊朋友，聊聊他們在想些什麼，聊聊他們的感覺。他們讓我進到他們的世界，讓我再次體驗如何看待世間一切：我們躺下來看雲朵的千變萬化；我們觀察貓和狗怎樣玩在一起，猜牠們都在說些什麼；我們交換彼此對最喜歡的食物和電影的看法。我常覺得，我和這些小朋友在路邊共度的真實剎那，對我的幫助可能大過我所讀過的任何書，或參加過的任何研討會。

如果你有自己的小孩，那麼你享有最方便的機會——在家裡就可以和他們共享真實剎那。如果你和我一樣，沒有自己的小孩，去向別人家借吧，借他們的孩子來玩半個鐘頭，讓他們做你的嚮導，帶你走回純真奇妙的世界。

珍惜他的「不為什麼」

你可以想像這樣的畫面：你的孩子正在畫一些你看不懂的圖案，然後他把這些圖案

全部剪成一片一片。你走過去問他：你在做什麼？他抬起頭，很奇怪地看著你——他在做什麼，這不是很明顯嗎？他在畫畫，然後把圖畫剪成一片片。你真正的問題是：這樣做的原因是什麼？有什麼目的？希望做出什麼東西？你這是在將你那目標取向的價值觀灌輸給孩子，同時你正將他從當下的片刻中揪了出來。

我們常向孩子發出一些錯誤的問句：

「那是做什麼的？」

「你要拿它來做什麼？」

「你爲什麼要做這個？」

如果我們還能記得自己的童年，如果我們曾享有更多的真實剎那，我們就不會問這種問題，因爲我們已經知道答案了：「我正在做我正在做的事啊！我就在這裡啊！可能等一下我會想做其他的事，可是現在，我很高興做我正在做的事啊！」

教小孩子知道爲自己設定目標的重要性，原本是一件好事。但是在我們想引導他們走向「成功」的同時，往往也剝奪了他們天賦的直覺和自然的價值觀，干擾了他們依本能所享有的真實剎那。

我們大人的很多問題，其實正來自我們自己價值觀的扭曲，我們衡量自我價值時，總是捨本性而強調成就。我們實在應該支持孩子打破成規，提醒他們：使他們與眾不同

的，不是他們的成就，而是他們生而爲人的本性。很不幸，我們無法依賴現行的純目標取向的教育機制，來把這個重要的觀念教給下一代。我們只有靠自己，透過身教和言教來告訴子女：我們愛他們、欣賞他們，不是因爲他們做了什麼，而是因爲我們看見了他們內心的純良本性。

不必擔心孩子將來會變成什麼樣子，不要企圖把他們塑造成什麼樣子。你的任務只是幫助他們高高興興地過日子，就像那句峇里島的諺語所說的，只要他們快樂，他們隨時都可以學會翩翩起舞，學會當醫生、藝術家或任何他們想做的事，因爲他們已先學會了生活中最重要的一件事。

與孩子共創真實剎那

這兒還有一些幫助你和你的孩子一起共享更多真實剎那的建議：

●讓他們充分感受自己的情緒

老是要孩子解釋他們所做每一件事的原因，
便是在教他：
他的價值來自他所做的事，
而非他本身。

紓解不愉快情緒的方法，首先就是充分地去感受這分情緒——這是孩子天生就知道的。你常會看見他們前五分鐘還在嚎啕大哭，不一會兒便已破涕爲笑；他們有時脾氣很大，但是半個鐘頭之後，已經不記得剛剛氣的是什麼。反而是我們大人常常給孩子錯誤的引導，要他們壓抑自己的情緒。我們老是教他們：「你不可以生氣」、「傻瓜，這有什麼好哭的」、「有這麼好笑嗎」或是「你沒有理由生氣啊」。我們常常用這些話將他們抽離痛苦或愉快的當下。

讓你的孩子體會他們自己的感覺吧。幫助他們用文字或言語表達出內心裡翻騰的情緒，讓他們知道你能了解他們的感受，並且願意伸出援手。通常他們並不需要你的幫助，而且因爲你有可能比他們反應更激烈，你也得忍住不去打擾他們，當然，你自己多在生活中練習我所提供的建議，也會有幫助的。

●鼓勵你的孩子每天寫日記

在我們寫下一天的感想或對某件事的反省時，我們常得退後一步以便更清楚地觀照全局，由此我們得以明瞭事理、學得教訓。寫日記，是成年人爲自己創造真實刹那的絕佳方法之一，對小孩子也有相同的功效。日記可以成爲一個特殊的、祕密的朋友，是情緒的一個發洩管道，是學習謹慎處世、處處留心的好機會。如果你的孩子還太小，不會寫字，你可以讓他們把心裡的想法和感覺說給你聽，你來幫他們記錄，或是讓他們用圖

畫配上你的文字來表達。等他們長大，寫日記便可以成爲他們靜思或是發掘自我的一個形式。

●製造一些家庭儀式，讓家人能一起共度真實剎那

我在第七章中所提過的「愛的步驟」，也適合全家人一同練習。已經有成千的父母學會了「感激、欣賞和抱歉」，他們告訴我，在家裡和孩子一起做這樣的練習，全家都非常受益。有些家長會特別安排一星期一次，可能是週日晚上，全家人圍坐在一起練習表達感激或欣賞。他們手牽著手，輪流說出心中對家人的愛：「有件事我要謝謝……」或是「我最喜歡你……」等。也有些家庭喜歡利用晚飯前短短的幾分鐘來做這樣的練習，每星期一次或兩次。家人之間如果有了任何不愉快或出現緊張的關係，他們一定會來一次「抱歉的練習」。別忘了——這些活動不是只爲了小孩子，大人也一定要積極參與。

尊重他的神性

接下來幾段和本書的最後一篇裡，我將和讀者分享我創造真實剎那的點子。我勸你把這些妙方都教給你的孩子，同時將這些愛的儀式融入你們的家庭傳統中。

愛達佛大師（Master Adalfo）曾說：

孩子是……，古老的靈魂裝進了幼小的軀殼裡。

你的孩子並不單純是你的孩子，他們是你的老師、你的嚮導、向你挑戰的人、讓你學到教訓的人、把事實擺在你面前的人、治癒你心靈創傷的人、擦亮你靈魂的人。他們與智慧和愛的泉源保有密切的聯繫，這是大多數成年人在成長過程中都已喪失的能力。他們看得見天使，他們愛得毫無保留，他們可以天人交流、暢行無阻。

每一個孩子都是小小的神祕人物，他們能在可見與不可見的世界間穿梭自如，他們還未受到時空的拘束，他們會飛。

在我們以真和假的觀念束縛他們之前，他們都擁有與生俱來的神性。他們記得許多我們早已遺忘的事情，只可惜，我們不僅不懂得承認並尊重他們與生俱來的知能，還強迫他們遺忘。

前些時候，有人跟我說了一個很美的故事，是一位婦人剛生下第二個小男孩的故事。一天晚上，這位媽媽來到新生兒的房間，她看見三歲的大兒子站在弟弟的小床旁邊，目不轉睛地凝視著弟弟的小臉龐。媽媽不想打擾這一幕，便靜靜地站在房門口。然後，她看到大兒子慢慢地俯身下來，在剛出生的弟弟耳邊悄悄地說：「嘿……吉米，是我，……我是你哥哥丹尼。你告訴我上帝長什麼樣子好嗎，我已經開始不記得了。」

這位媽媽親眼看見了這神聖而真實的一刻，不禁感動得流下淚來。她明白了，原來丹尼知道小吉米剛剛從神的世界來到人間，丹尼彷彿依稀還記得神的世界，但當他愈來愈認同這個有形的軀殼，以及「名叫丹尼的男性人類」的角色之後，他離神的世界便愈來愈遠了。丹尼感覺到這一天甚於一天的失落，他多麼想重拾失樂園裡的記憶，於是悄悄地來到弟弟床前，一番耳語，希望小吉米能爲他帶來一些神界的消息。

我非常喜歡這個故事。它說明了藏在孩子軀體裡的，是個什麼樣的小小心靈。如迎尊師和領受上帝的賞賜般，迎接孩子進入你的生命吧。讓他們爲你指引，如何在生活裡的每一刻尋找並讚頌生命的真諦。如果，你也遺忘了上帝的模樣，問問孩子吧，他會幫你記起來的。

第四篇

用心實踐

第十一章

追求性靈生活

神性和人性的分別純屬人爲，
二者原是交織在一起，無法斷然區分的。
如果你不能對人打開你的心扉，
你就也很難向上帝打開你的心門。
如果你不愛人，包括不愛你自己，
那麼你也很難去愛上帝。
你的神性乃發端自你的人性……。

——史卡拉斯提戈（Ron Scolastico）

曾經，在很久很久以前，人類知道宇宙萬物是一體的：所有物質不過是靈魂愉悅的謳歌；人世不過是神靈嬉戲的舞步；地球、動物、風雨、太陽和星辰都是兄弟姊妹，有著和宇宙律動一致的脈動。遠古人類對宇宙一體的認知，護祐著人類生命中的每一天；這樣的認知使他們經歷的每一件事都神聖無比。

然而隨著物換星移，時光流逝，這個真理漸漸被遺忘了，取而代之的是分離之路。人類轉而相信：上帝異於人類，且存在於人之外；大自然是所有役於人的無情事物，例如山、川、樹木等的代名詞。他們認定某些人如教士、賢哲，和某些場所如教堂或廟宇，較諸其他人或其他地方富於神性，因此也較優秀、較高等。他們賦與天堂崇高的地位，而將地球摒棄於神聖之外。於是人類的生活變得平凡而庸俗，因爲他們斷絕了與神靈世界的聯繫。

重拾「宇宙一體」

我們都是當時步上分離之路者的幾世玄孫。我們把神性從日常生活中抽離出來，同時也把自己和生活中的神性隔絕開來；只有週日教堂裡的禮拜、安息日的聚會、瑜珈或打坐、到印度朝聖或拜訪歐洲著名的大教堂，才關乎神性；我們以爲祈禱比騎單車接近神靈，閱讀宗教書籍比做愛神聖得多；我們過著被自己俗化了的生活，卻猶自疑惑何以

生命如此索然無味、欠缺目標。

我們甚至自外於我們的家園——地球。我們的脈動不再與地球自然的節奏相應和。人類視這星球如野獸，自以爲可以用科技加以馴養、控制；於是我們對待地球有如對待仇敵：山擋住了我們的去路，我們把它剷平，樹遮住了我們的視野，我們將它推倒，所有的水源和空氣都遭到了污染，只因爲我們愚蠢地以爲人類是優秀而獨立的，殊不知傷害了大地之母——我們的地球，其實就是在斲傷我們自己。

要追求真實剎那、找回我們生活中的神性，必須先重拾宇宙一體的觀念。這不是一條帶你遠離人性、遠離地球、走向天堂的路。相反地，這條路要帶引你走向每一個平凡的日子，讓你在這些平凡的日子裡找到神性。這條路不長也不短，一旦你做到「活在此時此地、活在當下」，那便是你的目的地，不必再去做其他無謂的追求和想望，你要的都已經得到了。

自從我開始追求性靈的生活，我便開始踏上所謂的「神性之路」。我渴望認識上

尋找生活中的神性，不必棄絕平凡的日子，
不必刻意去追求特殊的、高尚的生活經驗，
只需要你全神貫注，
全心去體會每一個平凡的經歷。

帝，於是我棄絕所有俗世的事物，可以不眠不休花上幾個鐘頭、甚至幾天來練打坐。我曾在山上靜修好幾年，除了其他同修，誰也不見，我將身體視爲我悟道的最大障礙，所有人性的欲望是達到精純靈性境界的絆腳石；我把地球當成是禁錮我的牢獄，使我不能回到屬神的家園。

那幾年修行的日子裡，我的確有過許多美好的經驗，感覺到自己的精神境界不斷向上提升，可是在「神修」以外的時間裡，我絲毫得不到快樂。爲這神人兩難尋覓了好久，我才終於領悟到一個最重要的道理——生活的本身就是神性的實踐，我最該練習的是學做人！而在那之前，我在做人方面一直表現得不理想。事實上，我甚至一直在逃避做人這回事。難怪長久以來我始終快樂不起來：我身在水中，卻企圖保持滴水不沾！

有了這層領悟之後，我開始學習擁抱人性，不再逃避，同時開始回過頭來，在人性中尋找神性的經驗，不再外求。現在我已明白，地球不再是我的牢籠，而是上天給我的恩賜；生而爲人不再是靈性的失落，而是靈魂難得的一趟肉體之旅。正因上帝愛我，才會讓我降生在人世。

萬物互相依存

要想體會生活中的神性，就要記住我們只是一個精靈，藉著人的軀殼來這世間走一

遭，並沒有和聖靈世界一刀兩斷。一刀兩斷是不可能的，因爲我們是披上了凡人外表的靈魂，所以能和所有的生命相互感應。一朵花，是精靈以花的身形爲裝扮；一個番茄，是精靈以番茄的身形爲軀殼；一顆石頭，是精靈以石頭的身形爲外表；你現在捧著的這本書，其實也是個化身爲書的精靈呢！我們都來自同一個源頭，都由同一種不可見的物質構成，我們本是一體。

我們都是「生命」這個大有機體的一部分，所有有形的生物都必須相互依靠，才得以生存。你的軀殼並不以你的皮膚爲界限，它延伸到有形界線以外的空氣中，空氣讓你的肺呼吸；它還一路延伸到太陽，太陽以光照滋養土壤，賜你以食物；它更深深延伸進地球內，地球供應土石樹木，使你得以築起蔽身之所。你的身體就是以這種方式向四面八方延展，對世間萬物兼容並蓄。

你的存在是上天和地球之間萬世永續的愛的結晶。你的父——天，和你的母——地，是多麼鍾愛你，你難道還不明白，每一分、每一秒他們都爲了延續你的生命而結合在一起？我曾在研討會上教給學生一段冥想：

地球是我的母親，
上天是我的父親，

我，是宇宙大愛之子……。

下次當你覺得和周遭世界失去感應的時候，或是要尋找真實剎那的時候，走到戶外找一片土地或草地坐下來，眼睛或睜或閉，對自己大聲背誦或重複默念上面這段話。每重複一次，做一次深呼吸，讓自己飽嘗大氣的賞賜。我相信，你很快就會找到和「大我」的聯繫與感應，同時你也會找到平靜。

我們把神性從生活中抽離出來的同時，也限制了自己享有真實剎那的機會。我們和尋常日子裡的神蹟、奧妙擦肩而過，因爲我們的眼睛只望向炫目的光采，只注意那大聲呼喊「我特殊、我神聖」的人物。我們只知道要找尋不平凡的事物，以至於真正遇到聖靈時竟視而不見，無法辨識出來。

有一天我和一位好友談到各自成長的過程，他問我，相不相信這世上有真正的聖人。我想了一分鐘，然後告訴他，我相信任何時候一個人心中充滿了愛和慈悲，他就是聖人。神聖（holy）這個字源於希臘文holos，原意是完整或整體。所以神聖就是完整一體，聖人就是和整體大我、宇宙本質保持密切關係的人。

你不必花大工夫，遠道去求神聖的真實剎那，因爲它們無所不在；你要做的只是仔細留心。

平凡中有神蹟

幾個月前的一個晚上，我和我先生從一家餐廳走出來，聽到了一陣歌聲。抬頭一看，是一位中年男子在人行道上緩緩獨行，手裡提了幾個購物袋，嘴裡兀自哼唱著寂寞的歌。起初我以爲不過是遇上了一個憂鬱的人罷了，可是當他走近，我才看出他的衣衫襤褸，形容憔悴，在寒風中餓得發抖。「可能是個無家可歸的流浪漢。」我難過地猜測。我也看得出來他無意停下來向我們伸手要錢，只是從我們身邊經過。

無論如何，他的歌聲深深地打動了我的心，我決定過去和他聊聊。

「你的歌聲很美。」我大聲對他說，他停下來對我們微笑。

「謝謝你好心讚美，」他回道：「以前的聲音更好，可惜現在這種潮濕的空氣對喉嚨不好。」

「能不能請你爲我們再唱幾首歌？」我們問他。他同意了，剛開始還有點兒不好意

停下腳步，
留心聖潔的時刻和尋常日子裡的神蹟，
你將無時不心生敬畏與讚歎；
從此你將與上帝共享聖潔無瑕的愛。

思，歌聲很輕柔，但沒多久他便唱得渾然忘我起來，彷彿掏自心底和靈魂似地引吭高歌，旁若無人。刹那間，他不再是大街上一張模糊臉孔、正在找一個門廊歇息一晚的流浪漢；他是位擁有觀眾的藝術家，正和我們分享他的天賦，一項他僅剩可以與人分享的資產——歌唱的快樂，那似乎是他在一無所有之後，仍刻意堅持保有的能力。他的歌聲劃空而過，古老神聖的氣氛迴盪在夜空中。從他的歌聲裡，我聽到了亙古以來所有曾經在歡樂中、在黑暗裡或絕望時仍歌詠上帝者的心聲。

歌聲歇處，我們鼓掌並且誠心地讚美他。名叫安迪的他向我們抱歉說，他會唱的歌不多。「我最近的狀況不是很好，」他解釋道：「碰上了不少倒楣事，丟了工作也丟了房子，不過我仍然盡力維持積極的人生態度。」聽著安迪面帶微笑地敘述他種種不可思議的楣運，我想從某方面來講，他是成功的：儘管楣運當頭諸事不順，他仍能享受生命的歡樂。在人生的道路上，邊走邊唱，真實刹那就在他的手上。大多數人，包括我自己在內，都很難如此達觀。

安迪離去之前，我們給了他一些錢，同時祝他好運。我知道我們使他的生活起了一些變化，這變化不全然是因爲我們給他的那些錢，而是因爲我們讓他變成了特別的人物——儘管只是短短的幾分鐘，對我們也造成了相當的影響；不過，那一晚，我們仍是受益較多的一方。安迪是我們的導師，是我們的馬路天使，是看來不像、卻如假包換的聖

人。他那不屈不撓的精神教我心懷謙卑，也提醒了我——上天如此寵祐我，我都還做不到像他那樣快樂地邊走、邊歡唱。

只要我們經驗到和自我、和環境或和他人之間一體的感覺，那便是神聖的真實剎那。在平凡的日子裡，留心神聖的時刻和不起眼的神蹟，那可能是你的孩子對你無所求的擁抱，飛過雲端的一羣鳥兒，大地所賜、成排陳列在超市等著你的、鮮豔欲滴的蔬菜水果，收音機裡傳來正合你心情的一首歌，或是從水泥人行道的隙縫中迸出的一朵鮮黃色蒲公英。

心懷虔敬

我和我先生前不久到印尼的峇里島去玩了幾個星期。峇里人向來被譽爲「全世界最友善的民族」，而這趟旅途中認識了一些峇里人之後，我還要再加上一句：他們也是最快樂的人。他們的快樂不是來自他們擁有的財物，因爲以物質條件來看，他們擁有的實在很少：國民平均年收入只在三百美元左右；大部分峇里人住在沒有玻璃窗、沒有大門的「開放式」房子裡；溪流圍繞著蒼翠的稻田，大部分人就在田邊河裡洗澡或洗滌衣物。但我絕不會說峇里人窮，上天賜給了他們稀世罕有的智慧，他們知道如何在生命中的每一片刻，尋得並享受人生的神聖真諦。這是他們快樂的祕訣，他們是創造真實剎那

的專家。

傑佛瑞和我每天早上都會在旅館的餐廳吃早餐，也總會看見那位笑臉盈盈的女服務生朴圖（Putu）。朴圖是我所見過最知足的人之一，她的眼裡閃耀著愉快的光芒，舉止散發出溫暖寧靜的氣質。第一次見到她，是剛從美國抵達峇里島的那天，在她面前，我的緊張、倉惶、局促全給比了出來。眼看她從容優雅地穿梭在餐桌間，聽著她遞上果汁時爽朗的笑聲，我想朴圖一定知道一些我不懂得的道理。儘管我有成功的事業，在美國每天過著優渥舒適的生活，我卻不得不承認，朴圖比我快樂得多。她也很清楚這一點。「我們真的想不通，」她用不太熟練的英文對我說：「爲什麼每一個來這裡的美國人都那麼富有，但卻那麼不快樂。」

朴圖的話裡沒有批評的意思。她只是弄不懂，我們這些觀光客到底每天在做什麼，做到讓我們的心靈變得如此狹隘，遠不及她的朋友和家人，在這島上單純的生活裡所保有的開朗和寬闊。而我，享受了幾天峇里島的風土人情之後，看到了答案。有一對八十多歲、身材瘦小的老夫婦，六十年如一日，每天快樂地在他們的水稻田裡工作，看見我走過，還停下工作，高興地向我揮手招呼，這就是答案。我們的導遊先生艾迪告訴我，他每天早晨醒來都會覺得很興奮，等不及要知道今天會遇到些什麼有趣的人，看看上帝今天在他導覽的路上，會安排什麼樣的如畫美景，這就是答案。在一個小村落裡有一位

木雕師傅，在他的眼裡，每一尊待刻的神像都是真正的菩薩，手下的每一刻每一畫都懷著敬愛，這就是答案。

這些人有一個共同點——他們都心懷虔敬和喜悅來度過生命中的每一天。秋收時，感謝稻穀爲他們生長；走在暖暖日照下，感謝太陽爲他們升起；他們樂於和每一個新朋友來往；他們如朝聖般迎接每個新的一天。在平凡生活裡看到神性是他們的專長，地球是他們的殿堂，活著便足以使他們歡欣鼓舞。

那趟美妙的沓里之旅極富教育意義和激勵作用。回來之後，我便嘗試著隨時對生活抱持更虔敬的心，而我也發現，如此一來我擁有了更多的真實剎那。

哈西德古老傳說中，有這麼一則小故事：

有一個人問他的教士：「智者，我該如何侍奉上帝才好？」然後他靜靜地等在一旁，等著教士給他一個深奧又充滿智慧的答案。老教士想了好一會兒之後說道：「你隨時隨地所做的每一件事，都可以是侍奉上帝最好的方式。」

真實剎那不會出現在你做了特殊或偉大之事時，相反地，如果你能夠如瑜珈大師（Yogananda）所說，即使是微不足道的事，也能以不落俗套、敬慎的心來完成，那

麼真實剎那自然在其中，不必大費周章、更弦易轍。

全心全意地生活是有技巧的，我很願意和你們分享我最鍾愛的一個方法，不過在和讀者分享之前，讓我先解釋它是怎麼發生的。

「此刻冥想」

大約一年前，有一天午後，我帶我的小狗碧珠出去散步。大概走了四個路口之後，我突然發現自己根本不是在散步，我還在想著剛剛和一位電視節目製作人通過的電話，我在擔心出書的截稿日期，我在盤算要不要請一個新的助手。我的心無所不在，就是不在這散步的路上。「快樂只能從當下裡尋找，」我提醒自己：「但是我要怎樣讓自己回到當下？就算能回到當下，我又該怎樣把自己的心留在當下？」

忽然有兩個字閃進了我的腦裡：「此刻」。於是我開始用這個詞來造句，描述我在每一個當下所做的事。然後我的思緒開始上路：

「此刻，我和碧珠正走上一個小山坡……；此刻，我在柏油路上一步一步地向前走……；此刻，我正看著碧珠那小巧的身軀在我前面又蹦又跳……；此刻，我正深深地吸入一口夏日的空氣……；此刻，我正抬頭仰望藍天……；此刻，我正欣賞一朵紅花……；此刻，我在這兒，就在此刻……。」

在我練習「此刻冥想」的同時，我的思緒放鬆了，我的呼吸也逐漸深而緩了。我不再一路催促碧珠，牠停下來時，我也欣然止步。我開始專心於每一個剎那，一股寧靜祥和的感覺滲進我每一個細胞。散步結束回到家裡，我覺得自己好像剛剛度了一個迷你假期，臉上還掛著滿意的笑容。

從那一天起，我便常常做「此刻冥想」，尤其在尋找真實剎那的時候。

●儘可能每天至少做一次。

●不論是開車途中、做飯、吃飯、看人、做事、散步、做愛或做任何事，都可以用上這一招。

●每次的「此刻」系列至少要延續五分鐘，你才能感覺到其妙處。

●每次練習都以「此刻，我在這兒，就在此刻……」做爲結束。

●每句「此刻」之間，可以做一次輕鬆的深呼吸，它能使你很快地進入當下。

●練習時，我發現以默念的效果最好，不必大聲說出來，不過你也可以自己實驗一下各種方式。

能使瑣碎平凡的事物變成不凡經驗的，
是全神貫注的心。

這種使自己全神貫注的技巧還有另一種運用方式，你可以在閉眼靜坐的時候，用這種技巧幫助你練習呼吸運氣。找一個舒適、不受干擾的地方坐下來，閉上眼睛，注意力放在自己吸氣和呼氣的動作上，然後靜靜地開始你的「此刻冥想」——

吸氣時想：「此刻，我在吸氣。」

呼氣時想：「此刻，我在呼氣。」

再來一次……。

你會注意到你的呼吸開始和緩、平靜下來，而在一呼一吸的空檔裡，充滿了寧靜祥和的感覺。你不必太用力去想「此刻，我在……」，只要在呼出吸入的動作中輕輕地意識到即可。

如果你想用「此刻冥想」呼吸法來做某種情緒治療，在冥想時，你可以試試這樣的句子——

吸氣時想：「此刻，我吸入了愛。」

呼氣時想：「此刻，我呼出了恐懼。」

再來一次……。

我曾經在研討會上和學生做過這樣的練習，效果非常好。你甚至會發現許多埋藏已久的情緒逐漸浮現，然後消失，或是久未發洩的淚水已在眼眶中打轉。

其他技巧

●**寫日記**。不要單純記下事件，而是毫無保留地記錄你的感想、你的觀察、你真實的剎那。不必每天寫，甚至一星期寫幾次就能達到效果了。你愈用心於剛體會到的真實剎那，下次就更容易辨認它們。

●**做一段自我內心導引**。除了寫日記，還有一個方法——想像自己與一個智慧和真理的泉源接連上了，你可以當它是你的導師或引路人，也可以只是一種能源。每當你提筆寫下心中所感時，讓這個泉源傳遞出你所需要的訊息。敞開你的心胸，接納所有閃進腦海裡的思緒，不論你聽到什麼，都一一記錄下來，不必急於分析或理解那些訊息的意涵。等全部寫完，再讀一讀你剛才所「接收」到的——你會爲內心的指引透過你的筆，在紙上所表現出來的高度智慧而驚訝不已。

●**專心散步**。就算你不養狗，偶爾，你也該帶自己去散散步。散步不是指走路去某個目的地，而是要你在漫步的同時，藉助「此刻冥想」的技巧，完成一趟全神貫注的散步。你會發現在你內心或周遭環境裡，原來還有許許多多從前你視而不見的東西。

赫胥爾（Rabbi Abraham Heschel）有言：

僅僅存在便已是福氣，僅僅活著便已是神蹟。

昨天，全世界約有二十萬人離開了人間。他們在地球上的氣數已盡，今天早晨都沒有醒過來。他們看不到太陽照在臉上，也感覺不到微風吹拂過肌膚；他們聽不到笑聲、歌聲或鳥兒彼此呼喚的鳴囀聲；他們不再能吃下一個蘋果、喝下一杯水，不再能享受擁抱、親吻或微笑；他們再也看不見今晚在天上閃爍的羣星，再也不能凝望月亮。他們不可能讀完這些文字、闔上書、熄了燈、擁被而眠，然後酣夢一場，明朝再醒轉過來。你活著，你在這兒，你擁有明天，這就是福氣。享受尋常生活裡唾手可得的神蹟，它們會是你最神聖的真實剎那。

第十二章

傾聽靜寂

我們需要上帝，
但別想在喧鬧擾嚷處找到上帝；
上帝與靜默爲友。

——德蕾莎修女（Mother Teresa）

通常在靜默和獨處時，最能享受到意義非凡的真實剎那。靜默能滋養靈魂，治癒心中的創傷。它能在你和你所寄寓的那個煩囂多事的世界之間，製造出一個絕緣帶——一個可以讓你不斷找到重生的寂靜子宮。靜默自有其再生的力量，神聖不可褻瀆；只要你向它叩門，它定能帶你回家。

要深入沉潛的靜默，獨處是必要的。無論你多忙，都應該抽出獨處的時間。獨處並不同於孤單。獨處（alone）源自中古英語「all one」（合而為一），當你獨處，並不是單純地離羣索居，你是和你的自我在一起，所有的你合而為一——你和自己的精神、本質結合，你與自我回歸為一體。這個時候，你不覺得自己是孤單的，也不會意識到自己與眾人暫時隔絕，你只會意識到充實的自我。只有在與自我合而為一時，你才能聽到自己內心的聲音，才能誘發自我指引的方向，也才能重新掌握自己的夢想。

無聲帶來不安？

獨行、在營火旁靜默一夜、沉思觀想，是祖先們領受獨處的方式。然而在現代，科技奪去了我們獨處和靜默的機會。要找一個真正安靜的地方是愈來愈難了，就連深山裡或沙漠中的寧靜都已不可得：噴射機定時隆隆地劃空而去，開足收音機音量的汽車不時呼嘯而過。五十億人住在這個地球上，想要徹底地獨處太難了。

我們大多數人的生活裡都少有靜默的時刻。回想一下，扣掉你的睡眠，上一回能讓你靜下來一個鐘頭以上的時間，是什麼時候?通常，你是在定時啓動的收音機聲中起床，在整裝、吃早飯的同時看電視新聞，開車上班的路上聽晨間脫口秀節目，中飯大多在嘈雜不堪的餐廳裡解決……，一天就是這樣過的。我們已經習慣了沒有靜默的生活，以至於面對靜默時，會變得手足無措。

我有一位住在紐約市的朋友，他經常旅行。他的隨身行李裡，一定有一樣東西——「噪音機器」，他得靠這機器不斷地發出人來人往的嘈雜聲音才能入眠。我家住在洛杉磯城外的山裡，每次他來，總要抱怨「這裡太安靜了，安靜得讓我覺得毛骨悚然」，於是，他打開他的小機器，聽著那些噪音，很快地酣然入夢。

我這位朋友的「毛骨悚然」，起自無聲所帶來的不安。當靜默趕走了所有令他分心分神的事物，把他的注意力轉而向內，迫使他面對自我時，靜默也爲他帶來了不安。

靜默讓你能冷眼觀察一切，看著自己心智上的垃圾、廢物漂過心頭，就好像歇坐在

靜默和獨處都會引爆衝突，
它們能在瞬間把我們丟進到現實真相裡，
也因爲如此，
二者對我們靈魂的健康影響至鉅。

河岸上，看著枯枝朽木在河面上浮浮沉沉，順流而下。當你沉靜獨處，你便能看到所有干擾你清晰判斷、阻礙你找出問題癥結、蒙蔽你真情感的思想、反應和情緒；你會清楚觀察到所有的情緒，分辨出對你有害、讓你痛苦和帶給你困擾的渣滓，同時也能決定如何去蕪存菁。

退一步，看得更清

假設你想掛一幅畫在你的起居室，你一心想著這件事，專注到只知道把釘子釘在牆上，不肯稍做停歇，退後一步看看畫是不是掛歪了。騰出靜默的片刻，意思就是要你退後一步，保持足夠的距離，好讓自己能清楚辨認生活之畫可曾傾斜。沉靜下來，你的視野會更明晰，或許還能明確認出生活中失衡的部分，這可能是你不曾有過的經驗。

內省使外發行爲更具威力。如果你能撥出一段時間，什麼也不做，專爲獨處靜默，那麼等到你有所行動的時候，你的行爲會收效宏大、更有意義。賢哲、道僧、聖人、武士都知曉這個道理，在開始一段旅程、迎接一場戰鬥、主持一場祭典或接下一件任務之前，他們常會抽身獨處；或在月圓夜下的山顛、或在深邃隱密的林間、或在不爲人知的小木屋、或在教堂裡，他們獨自面對自己。這時，他們會先放下所有的包袱，忘卻所有的限制，將心靈敞向神聖不可探測的虛無，然後不可知的力量會帶引他們到達超越時空

的境地，萬物源頭的生之力量將擁抱他們；等到他們再度出現，扛起塵世間待完成的責任時，他們已從那不可限量的泉源汲取了巨力與遠見。

就我自己來說，我一向引以自豪的創造力和曾有過的貢獻，均奠基於靜默。二十來歲時，我常去歐洲和其他的靜修導師一起修習靜坐沉思的課程，一去就是好幾個月。在例行的打坐練習當中，我們會同時實行爲期數天、甚至數星期的靜默。一次幾個星期的靜默裡，我一聲不出，當然也聽不到別人發出的聲音——沒有交談、沒有寒暄、沒有說笑，只有沉默。在靜默中我沉潛得愈深，我的靈魂所體悟到的便愈奧妙。

回首往事，那段歲月是我一生中最重要、影響最深刻的幾個轉捩點之一，爲後來幾年我所從事的工作奠下了深厚的基礎。我先生曾戲謔道：「是啊，只是妳從靜默中走出來之後，妳就開始一直講話、一直講話，到現在還沒停過！」從某個角度來說，他倒也沒說錯。我曾如此深刻地走進自己的內心，好像把一支箭架在弓上，然後將弓張滿。至今我仍常自覺像那支被張滿的弓所彈射出去的箭，還在筆直向前飛馳——向著拉弓時的反方向。我很清楚，如不曾深自內省，我便無由以如此之決心與毅力入世奉獻，也無從知曉如何諦聽神祕力量給我的指引。

虛空的力量

靜默的力量來自它的虛空。靜默是一個能廣納一切的空間，它創造了一個神聖的虛無，一個你能接收真理、希望、力量、治療和啓示的開口。在靜默中，你超越文字，與無言的世界相對；你跨過形式，探觸無形的萬有。在寂靜祥和中，一切了然於心。

靜默不等同於祈禱。祈禱是一種引導情感和思想，使之集中並傳向源頭的方式；靜默卻是傾聽，是接納，是無所爲。祈禱是努力去探向源頭，或是企圖與之溝通；而靜默，是讓自己去諦聽內心的源泉之聲，讓自我成爲源頭活水的一部分。祈禱是求之於外；靜默是反求諸己。祈禱時，你是發出訊息的人；而靜默中，你是接收訊息的一方。

我相信不論是上帝、天主、宇宙先知、上天或任何你所信仰的諸方神聖，都等待著我們去叩門求援、去感恩、去頌揚；但我也相信，與神靈的溝通應該是雙向的，你可以發出訊息，同時也可以接收。如果你覺得自己已竭盡所能以傳統的方式向聖靈禱告，卻總達不到預期中的結果，那麼或許該是試試少祈禱、多傾聽的時候了，可能上帝久已有話要對你說，卻始終苦無機會，插不上嘴呢！

在靜默中徜徉，一如在海洋上航行，都是一種技巧，需要學習。練習得愈多，技巧愈純熟。首先，讓自己的心靜下來，放棄所有平常的思考模式，就像乘一艘小船，讓它

載著你遠離岸邊、航向大海。船有很多種，讓心靜下來的方式也有很多種，任何一種靜坐的技巧和呼吸的練習，你都可以嘗試。花點時間，找到最適合你的方式。畢竟，若是不喜歡你的船，你不會願意經常出海。

找到載你遠離例行軌道的交通工具之後，接下來你需要掌握潮流，學會如何乘浪而行。「浪」有很多種，靜默也有許多不同的層次：

——表面的靜默，一種寧靜、溫柔的沉著，輕輕哄著你、將你包圍。

——深層的靜默，揉合了愛和知識的強勁漩渦，捲起了你的靈魂，一路顛簸進入意識的新層次。

——然後，是如潮湧般的靜默，一股難以抗拒的力量遮天漫地襲來，吞沒你的自我和自尊，把你深深埋入無邊無際、天旋地轉的光和喜悅之中，直到你被搓揉成其中的一部分。

就從你現處的境界開始，讓靜默引導你，帶你到你該去的地方。

靜默一旦成爲你的朋友，
便會用你聽得見的音量開始對你説話。
你再也忽視不了它的聲音，
因爲那是你的靈魂對你呼喚的聲音。

如果你不習慣走進自己的內心，那麼學習航向心海的過程中，你得對自己有點耐性。熟悉航程的節奏和旋律需要時間，急不得。

你可以想像和一位朋友在林間散步，朋友隨身帶了一部錄音機，他把音樂開得震天價響。除了音樂，你什麼也聽不見。這時如果你的朋友忽然把錄音機關掉，一時間你還是不會聽到太多的聲音，你的耳朵需要適應這個安靜的環境。但是很快地，你會開始注意到許多一直存在的聲音：樹葉在風中沙沙作響，小動物在樹叢裡奔竄，縱橫疊錯的枝椏交相唱和。聽得愈久，聽到的愈多。

學著走進自己的內心也是一樣的道理。剛開始，似乎沒有什麼特別的感覺，你好像只是坐在那兒靜靜地練習吐納或打坐；但是過不了多久，你就會懂得拾取那些細微的、無聲的情感——它們其實一直都在那兒，躲在每天紛擾不堪的思緒底下。

寧靜之法

以下還有一些幫助你在生活中，擁有更多寧靜時光的簡易方法：

●**開車時不要開收音機**——車子是一個很棒的活動式靜坐中心，在車子裡，不會有外務干擾，你也不能隨意起身走動。我有很多非常好的靈感或啓示，都是在開車時得到的。十二年來，我在洛杉磯每個月都會辦一次週末的研討會，每次研討會前的那個週五

晚上，我就得開車前往會場。路上，我總會儘量保持安靜，掏空自己的思緒，只接收來自心底的聲音。我也常在長途開車的時候保持靜默，尤其是開車出城去旅行，靜默常會帶來美好的感受，往往還沒開到目的地，一些思索了很久的問題便已得到答案或找到正確的方向了。

讓你的車子成爲你的聖地，單獨開車的時候，儘可能保持安靜，或只是聽聽輕柔溫和、沒有歌詞的音樂。眼睛注意路況，耳朵則可以用來傾聽發自心底的聲音。

●**在燭光下或爐火邊靜靜地坐著**——在壁爐裡升個火，或在餐桌或書桌旁點亮幾支蠟燭，讓自己儘量靠近火光，關掉電燈，電視和收音機也都關掉，免得有干擾；你就坐下來，看著火燄，聽聽木柴在火上爆烈的畢剝聲，或欣賞蠟燭熔化後滴凝成的蠟柱。想像這火光照亮了你心底最幽暗、最隱密的地方，看看你能瞧見些什麼。如果什麼也沒看見，僅僅享受這片刻的單純也好。

●**和你愛的人靜靜地散步**——這是你們分享靜默的一種方式。找個令人愉快的地方散散步，愈安靜的地方愈好。要手牽著手，感受對方腳步的節奏和對方雙手的溫暖；用心去看、用心去感覺，你會發現你們的心正在無聲地對話呢！

布置自己的「聖地」

哲學大師坎貝爾（Joseph Campbell）指出：「能使你一次又一次找到自我的地方，就是你的聖地。」

我相信每一個人都需要一個屬於自己的聖地——一個象徵性的所在，讓我們的意識覺醒，並集中在我們真正該走的道路上。擁有一個自己的聖地，會讓你的人生享有更多的真實剎那，你曾擁有過的快樂時光也會回到你的心裡，航向內心的旅途也會因此少些風雨阻難。

聖地可以是臥室角落裡，你常抱著祈禱或靜坐的大枕頭；可以是你用來收藏有特殊意義紀念品的櫃子或小抽屜；也可以是在你成長過程中，用來黏貼各種座右銘的一面牆。那是一個你可以在它前面，或跪、或站、或坐的地方。不必很大，臥室茶几上一個六英寸見方的小角落就可以。

聖地之所以爲聖地，端視你的心意，就這麼簡單。不需要金碧輝煌的神像，不需要貴重的家具或擺設，你需要的只是任何你喜歡擺在那兒的東西，能讓你定下心來、能喚起你的靈魂的任何東西。你的聖地可能有：

● 你所愛的照片——你的配偶、孩子、朋友、家人、寵物。

- 已過世親人的照片。
- 對你有特殊意義的宗教物品。
- 精神教師或領導的照片。
- 能讓你回憶起某些珍貴的真實剎那的紀念品。
- 你最珍愛的精神糧食——你的聖經、祈禱文等。
- 來自大自然、能提醒你和地球的關係的東西：石頭、水晶、花、貝殼等。
- 蠟燭。

我的聖地就在家裡的寫作室。此刻我正面對著它——就在靠窗一個小矮櫃的最上層。上面有很多我剛剛列出來的小東西，還有許多我的寶貝；那是我禱告的地方，讓自己心志集中的地方，祈求指引的地方，爲我得到的賜福感恩的地方。在那裡，我有特殊的私人儀式，這些儀式是經過特別設計的，用來幫助我反省自己、記住我是誰以及我爲什麼在這裡。每當我感到迷惘或恐懼，每當我心意不能集中，就會到我的聖地，跪下來

你愈常造訪你那有形的聖地，
就愈容易養成和內心聖地結合的習慣，
很快地，不論你去到哪裡，
你都能擁有一個緊緊跟隨你的聖地。

或坐在它的前面，讓它帶引我找回自己。

即使出門旅行，我也會有一個隨身的小小聖地。每次下榻旅館必做的第一件事，就是拿出我的幾樣小寶貝，放在我的床頭旁。然後，這個房間就會變成我的房間，我的心便會得到寧靜。

藉聖地回歸自我

有的人喜歡在戶外有另外一個聖地。如果你很幸運，在居住環境允許的情況下，你的戶外聖地很可能是屋後一棵特別的樹、湖邊的一個小據點或海邊的某一塊石頭。每次造訪聖地，你可以帶著你覺得很重要的「聖物」，當然也可以空手而去，就讓大自然的靈秀之氣幫助你回歸自我。

如果你家裡還沒有一個屬於你自己的聖地，別急。只要有心，慢慢來，讓聖地自己告訴你，它想要在哪裡。等到一件件東西慢慢聚攏到一處的時候，你的聖地就在眼前了。那些東西之中，有的你已擁有很久了，有的可能是最近才意外收到的禮物；然後，遲早你會發展出自己特有的儀式，在屬於你的神聖空間享受真實的剎那。

要使任何一個地方成爲可以享有真實剎那的地方，最簡單的方法就是讓愛進來。愛能使任何一個空間變得神聖，使任何一個片刻變得意味深長。你和你的愛侶夜晚相擁而

眠，緊緊地擁抱在一起，那就是一個愛的聖地；你爲女兒梳頭髮的當兒，那也是一個愛的聖地；你摟著一位滿懷傷悲的朋友，神聖的空間就在你們的四周。愛能把我們帶進超越時間的狂喜空間中，當我們沉浸在愛裡，愛便是天地間的一切。其他，都不存在。

讀完這一章，閉上你的雙眼，慢慢地深呼吸，並且把注意力從外在的世界抽回內心。讓自己漫步在思緒和情感之間，別停下來，直到你找到那無聲寂靜的世界。沉潛進去，愈行愈深。現在，你能悠遊在靜默之中了；讓靜默滲進你全身的每一個細胞，你知道靜默就是祥和，你知道靜默就是愛，而你就是靜默。

第十三章

儀典的啓示

儀典中的人們其實是處於一個神聖的時空中，
儀典之外的空間全是次要的。
時間在這個時候也以另一個向度，呈現在人們眼前，
情感的流動更加順暢，所有參與者心中都注滿了豐沛的生命力，
連他們周遭的生命都能感受到那股活力，並因此得到益處。
世界爲此煥然一新，萬物皆臻神聖。

——**美國作家貝爾**（Sun Bear）

儀典能爲你製造更多的機會，讓你享有真實剎那，它們能化平凡的日子爲神聖的世界，帶你回歸完整無缺憾的生命。在你舉行祭典或某種個人儀式的時候，你的態度會立刻謹慎、莊重起來；你的每一個動作都有一定的意義，那個特定的時間和空間變得神聖無比；你的人和你的心都專注在此時此地，不敢須臾或忘儀典背後的深意，你的心在此得到滋潤，你的靈魂在此得到重生。

自有人類以來，儀典就是人類生活的一部分。與地球和諧共存的前人懂得這種神聖儀典的重要性，他們視儀典爲與天地相繫的臍帶，能爲野俗粗糙且處處險阻的生命注入較高層次的意義；於是栽種作物、慶祝豐收、歌頌四季的變換、讚美身體各階段的成長，都有一定的典禮。舞蹈、歌唱、詩篇吟頌、盛宴、齋戒沐浴或祈禱，都不是隨興而起的活動，而是在特定時節爲特定目的而舉行。

然而隨著歷史的演進，人類和地球的關係愈來愈疏遠，我們的生活也從注重性靈的成長轉爲世俗化的現實。在這過程當中，我們放棄了許多生活裡的儀典，只顧忙著追求更高的成就、滿足更多的欲望，無暇爲各種儀式的鋪陳停下腳步，因爲我們已習慣於要求立即可見的效果，對於不可能馬上見效的儀典，早已失去了耐性。

有些儀典已遭淘汰，有些則已受到物質主義的污染，尤其在美國，生日、聖誕和各種周年紀念，都已變成收受禮物、大吃大喝的日子，歌頌愛和更新的意義已不復存在。

婚禮變成豪華奢侈的大請客，似乎與兩人同心奉獻不再相關；甚至連死亡也逃不過商業主義的魔掌，我們不惜投下巨額金錢裝點棺木和墓碑，卻不願多花一點時間真心讚美我們逝去的朋友或親戚，爲他的靈魂祈禱。

儀典──反省的契機

生活裡沒有了儀典，匆匆便是生命的節奏。我們不再停下來反省、不再思考周遭事件的意義，也很難記得生命在大我中的目的，忘了自己是誰，失去了方向。

最近的一趟峇里島之行，我飛越了千里之遙，才親眼見識到了儀典豐富生命的力量。峇里人做每一件事情都有一定的儀式──每天早上打開店門，迎接一天的生意有其儀式；橋梁落成典禮要依循某種儀節，以祈求今後來往人車的平安；學步的小孩跨出第一步時，也有謝神或慶祝儀式。我們那位溫柔好心腸的導遊艾迪，一邊開車載我們穿過島上青綠的稻田和蒼翠的山丘，一邊神情敬慎地爲我們解釋各種特殊的祈禱式和儀典。

當儀典離心靈和情感愈來愈遠，
並轉而只重視物質排場時，
我們的靈魂
便再也找不到回家的路。

他虔誠地說：「這些儀式能使我們將注意力凝聚在真正重要的價值上。」

㕡里人很清楚他們每一件作為的意義，因此總是自然流露出一種祥和寧靜的神態。和西方世界最不同的一點是，他們絕不會只在一年中的特定日子，歡慶孩子的出生與成長、感激大地賜給豐盛的糧食，或為家人之間的親愛而開懷；他們每天都以簡單卻充滿和諧之美的方式，表達對天賜福分的感激。他們的每一天都由真實且深刻的剎那所串成。

儀典目的何在？

●儀典使生命有節奏感

儀典有如人生道路上的節拍器，生命的延續由此而來。有了它們，不可測的世界才有了可預知的階段性。遵奉儀式的各種行為有如一條線，把屬於你的每一天、每一夜連接起來，也把你和身邊熟悉的世界串在一起。每天早晨迎接黎明時的禱告，每一個周年紀念日時，你和心愛的伴侶再次互許盟約的儀式，每個星期天你和你自己去散步——這些都能成為度量你人生旅途的里程碑。儀典中，你自然得停下匆促的腳步，專注於你所在的時間和空間，專注於你自己的情感。

每年的最後一天，傑佛瑞和我都舉行一個別致的儀式。我們會花幾個鐘頭的時間，

坐在一個安靜的地方，細細回想過去十二個月裡，值得我們感恩的每一件事。我們彼此明白，對方和一些其他的人爲我們付出了愛；我們分享感激之情——對於曾遭遇的事、曾學到的教訓、曾面對的挑戰和由挑戰所激發的新智慧。我們逐月回想重要的時刻、愛的回憶和每一樁天賜的好運道。在新年即將來臨的時刻，我們覺得自己幸運無比，心中充滿了感激。

可惜很多人是以喝個酩酊大醉的方式，來度過這麼富有意義的時刻，第二天早上除了宿醉的頭痛，什麼也不留。當然，喝個爛醉也算得上是某種儀式，但基本上這樣的儀式只能使人喪失知覺，而不能讓人意識更清楚。傑佛瑞和我的除夕儀式使我們覺得自己和過去的這一年都完整無憾，同時熱切期待新年的到來。我們以創造並享受真實剎那的方式來結束過去的一年，對我們來說，實在是至高無上的享受。

●儀典是為慶祝重生，使生命從某一階段過渡至另一階段

當生命在進程中跨越過了一個象徵性的門檻時，儀典是一個很重要的紀念方式。藉由儀典的舉行，我們宣示生命中的重大改變——出生、結婚和死亡。但是仍有許多深具意義的事件無聲無息地發生、消逝，沒有人注意，也因此變得似乎可有可無，比如：「再婚家庭」（Step-family）的形成，轉換職業，從一個家搬進另一個家，成功地戒掉某種癮，從意外傷害或重大疾病中痊癒，女性初經的來潮和中年以後的停經，離婚或

結束一段感情，最年幼的孩子長大離家，努力了多年終於達到了目標……。以儀典來凸顯、標示這些經驗，能使這些經驗強化爲深刻的真實剎那。

幾年前，傑佛瑞和我開始論及婚嫁的時候，我發現自己非常緊張、害怕。我知道自己緊張的原因——我還沒忘掉過去幾段失敗的感情所帶來的傷痛，那種像是被毀滅、被搗碎的痛苦，還停留在我心裡。我多麼希望我沒有結過婚，那麼我就可以如白紙一樣，純潔地站在傑佛瑞的身邊。我無法教時光倒流，於是決定爲自己舉行一個象徵過渡的儀式，向自己正式宣告心中多年的傷痛結束，未來幸福美滿的新生活自此開始。

我帶著每一個我愛過的人的照片、一些紀念那幾段關係的小東西，獨自來到海邊一個視野寬闊、可以靜坐的小山丘上。我還從家裡的「聖地」挑選了幾樣特別的東西隨身帶著——它們每每能助我找到真理。然後，我開始了我的「解放」儀式：我默默地謝謝每一個男人給過我的愛，謝謝他們帶給我的成長和讓我學到的教訓，收回我覺得自己曾交給他們的片片「自我」，並且向過去的一切說「再見」。最後，我把所有的照片和信件撕成碎片，用一個小碗盛著燒成灰燼。我一邊把灰燼撒向空中，讓它們回歸大地，一邊在心中默禱：從此我心得以痊癒，不再恐懼任何承諾，並得以將這顆再次縫合的心，完完整整地交給傑佛瑞。

這個儀式標示著我已由從前的舊我，過渡爲現在的新我。在儀式當中，我得以充分

肯定自己的轉變，並正式宣告過去的已成過去。儀式之後，我彷彿甩掉了千斤重的恐懼重擔。當然，我還要繼續努力建立自己的信心，並鞏固我們的關係，但是那次儀式，確實是我心理痊癒過程中，很重要的一個轉捩點。

或許你已悄悄經歷了許多人生重要的階段，但不曾停下腳步爲你的旅程致敬，更或許此刻的你，正處於一個重要的轉折歷程中。試著抽出一點時間，爲自己舉行一次意義深刻的儀式，來慶祝自我的重生吧！

●儀典是為療傷與更新

儀典可以純化及強化你和上帝、你和愛侶、你和工作、甚至你和你自己之間的關係。當你覺得自己需要清新的理智和毅力、需要指點和導引，或是和你愛的人想要一起步入更深層的親密關係，卻感覺到有所阻礙時，你都可以試著以某種儀典來爲自己的靈魂更新、換血。

每次著手寫一本新書之前，每當自覺心神過度投入工作，而對周遭一切失去感應，

能化時間爲儀式的是什麼?是你的意志，
唯有你的意志，
才能使時間儀式化並深具意義；
你的心思意向決定了你行爲的意義。

或是某些舊傷痛又襲上心頭無以排遣時，我就會給自己一個儀典，讓心靈重新開始、再次出發。有時就在家裡的聖地，有時會在澡缸裡——如果我覺得需要真正的「滌淨」，有時選擇山頂、大自然，或者時間允許的話，會去我最鍾愛的「力場」之一，如亞歷桑納州境內的喜多拿（Sedona）。每次在這樣的儀式之後，完整和安全的感覺總會漾滿心頭。

心念重於形式

所有的儀典都自心裡開始，在心裡結束，與地點或用品其實沒有多大關係。真正的關鍵是愛，是虔敬，是心念。

只要有心有意，就是一場莊重的儀典。在爲自己舉行的儀式當中，千萬不要掉進物質的陷阱裡，而把真正的目的給遺忘了——要創造一個靈魂得以重整、意識內涵得以豐富的時刻。你的身旁不必點滿蠟燭香火，不必安排特別的場地，如果你不喜歡，你也不必有什麼特定的方式或步驟。你所需要的只是一分決心——使你身處的此一時空深刻豐富，使你的這段經歷莊嚴神聖。

每一個人都應該去重新找回，並重新定義我們的各種儀式。有些儀式是你每天生活的一部分，有些則要在特殊的時機裡才會舉行。以下我要提出一些爲傳統婚喪喜慶場合注入生命與意義的觀念。至於要採用什麼樣的儀式或依循什麼樣的步驟，則悉聽尊便。

生日——慶祝在過去一年裡你所成就的那個人誕生了。爲添新歲而心懷感激，也謝謝所有爲你祝福的人。放下一切你不願意再帶進未來這一年裡的包袱，謝謝父母親的結合，使你有機會來到人世走這一遭。

結婚周年紀念——慶祝你倆在過去一年裡相互的成長，互相讚美彼此爲對方所做的奉獻和所付出的愛，肯定伴侶爲你所做的改變。爲你倆的關係再次許下承諾，更新過時的誓言，爲新的一年再訂盟約。

生產前贈送賀禮的聚會（Baby Shower）——大家一起分享對母親與嬰兒的祝福，並提供有用的經驗談；以智慧的累積和經驗的傳遞，代替純粹物質的饋贈。讓準媽媽腹中的小寶貝知道，大家多麼愛他並期待他的誕生。

感恩節——和大家一起感謝一年來上天的賜福。打幾通表達謝意的電話，寫幾封表示感恩的信，感謝大地賜你以溫暖的家和賴以維生的食物。

聖誕節／新年——感激並讚美一年來所得到的祝福、所擁有的愛以及照亮生命前路的智慧光芒。和你在乎的人分享愛與感恩的心，爲新的生命循環注入歡愉的力量。

復活節／踰越節（Passover）——釋放自身所有不願再扛負的包袱、所有你不再需要或不再能助你更臻完美的質素。過去種種譬如昨日死，今後種種譬如今日生；向昨天的你說再見，展臂迎接重生後的自己，邁向更自由自在的人生旅途。

休假——設定個人心靈、精神更新的目標；決心不再把沉重的包袱、繃緊的神經和情感的障蔽帶回來；趁著可以遠離塵囂的休假時間，多多和自己、和心所愛的人重新培養感情，一起療傷止痛。

以大地為師

我們的地球、我們的家，知曉儀典和歡慶的神秘力量。每當清晨，太陽用它橘紅鮮豔的光芒親吻地球，爲大地帶來光和熱；鳥兒啁啾唱著快樂的歌，迎接一天的到來；花園也綻放出豐富亮麗的姿顏，擁抱每一個嶄新的一天。每當黃昏，西下的夕陽以彩繪般的天空，向人們揮手告別，爲大地披上夜幕；蟋蟀唧唧唱出婉轉幽揚的搖籃曲，白日裡擾嚷的塵世便輕輕地搖入了夢鄉。每當寒冬，大地抖落一身的舊葉，好讓新枝出頭；每當暖春，大地便以旺盛的生命力驕傲地歡慶重生。

地球絕不允許它的容顏轉變無聲無息、無人知曉。它總要以壯麗的、充滿了戲劇性的儀典來宣揚、讚美一切的變化。我們都應該效法這分精神，用神聖隆重的儀典來宣示我們生命中的每一個階段。大地是我們最好的榜樣。

只要你懷著神聖、專注的心，生命中的每一分、每一秒便都將變成一個儀典，歌頌著你和造物主、你和有情萬物的深深牽繫。

第十四章

慈悲與感恩

我們成就不了偉大的事業，
只能懷抱無限的愛來做一些小事。

——德蕾莎修女（Mother Teresa）

好幾年前，一位來自加州馬林郡（Marin County）的赫博特女士（Anna Herbert）在不經意中偶然興起了這樣的念頭：「隨時發揮一下慈悲的心腸，不經意地表現一些美好的行爲。」她開始和親朋好友分享這個想法，她說這是一種「具有正面意義的不按牌理出牌」，並且決定不時隨手做一些好事，來實證她的哲學，比如，她會在一片雜草叢生的空地上，種一些美麗的花；很快地，她的想法和做法受到許多人注意，還上了汽車保險桿上的貼紙，在全國各州廣爲流傳，「好人好事游擊隊」行動於焉誕生。

慈悲的行爲能立即創造真實的刹那，每一樁善行都是日常靈性的一場生動儀典。這些善行在你和他人之間，搭起了溝通的心橋，你們的愛從此有了交流的管道。

隨時行善有一個很重要的特色：只要你願意，每天都可以有成千上萬的機會讓你行善。公路上隨時會有車子，等著換入你的線道；電梯外隨時會有人衝過來，想趕上這一趟；總會有人走路時不小心掉了東西，需要你幫他撿起來；你的孩子需要你對他們說：「你是最特別的一個」；你的伴侶需要知道他擁有你的愛；你還可以花一、兩分鐘，撥通電話告訴朋友你很珍惜他們；還有好多小貓、小狗渴望有人抱抱牠們、搔搔牠們的背、親親牠們；給路上擦肩而過的陌生人一個微笑，好讓他們知道他們不是隱形人。

兩年前的除夕新年假期，傑佛瑞和我到一個小島上，租了一間小木屋。就在抵達後

的第一天，我在小木屋外，才剛坐下來想看一會兒書，忽然聽到一聲很微弱的「喵」，聲音像是在哭泣。我往矮樹叢裡看過去，一眼就看見了「她」——一隻骨瘦如柴的黑色小野貓，皮包骨之外連毛都不太多；看起來她已經有好幾個星期沒東西吃了，恐懼和飢餓讓她整個身子抖個不停。我知道只要我一餵她，接下來的十天她就會跟定了我們，可是一想到她竟然餓成那個樣子，我很於心不忍。於是我轉身進屋裡找了一個鮪魚罐頭，然後放在她看得見的地方。

慈悲的滋味

這隻貓哼哼唉唉地叫了大約有二十分鐘，始終不敢走過來靠近罐頭。我可以想像她還在害怕——她已經習慣被附近的遊客吼叫追趕，所以不敢相信我竟然不會傷害她。我坐在地上，用很溫柔的聲音跟她說話，向她保證只要給我機會，我一定好好照顧她。

終於，小貓開始小心翼翼地往那罐鮪魚走過去，用最快的速度狼吞虎嚥一陣之後，又飛竄回矮樹叢裡。可是我知道她一定還會回來，事實上她的確回來了——就在當天的晚飯時間；當然，我也準備好了。我去附近的雜貨店買來了一堆貓食，這回她只考慮了五分鐘，便培養出足夠的安全感，走過來開始享用她的晚餐。

我照顧這個黑色瘦小的朋友約十天左右。白天裡，大多數時候她陪著我們在太陽底

下散步；有幾天晚上下起雨來，我聽到她叫我，於是打開前廊的門，讓她有個乾爽的地方可以遮風擋雨。每天早晨醒來，我都會迫不及待想去看她那躲在樹叢後面，偷偷窺視我們的小臉蛋兒。傑佛瑞不斷地提醒我：我們走了以後，下一個房客很可能又會把她趕走，可是我就是不願意去想這件事情。

假期結束，注定分手的一天終於到來。小貓咪看著我們收拾行李，在我的腳邊跟進跟出，彷彿在說：「請不要走。」我寫了一張紙條給下一個住進這間小木屋的人，求他們繼續餵這隻貓，我還把沒吃完的貓食都留給他們。可是就在我們收拾妥當，拎起行李走到大門前，小貓咪直挺挺地蹲坐在我的前面，用那雙綠色的眼睛直直地看著我時，我還是忍不住哭了。「我拋棄了她，」我深深地責備自己：「我知道我不可能帶她回美國，可是我給了她我的愛，現在又殘忍地丟下她……。要是一開始我不讓她嘗到慈悲的滋味，對她可能還比較好。」

愛永遠不白費

突然間，我的腦子裡有一個聲音輕輕地對我說：「是妳讓她有生以來第一次嘗到了慈悲的滋味，她一輩子都會記得這個經驗。在有生之年，她都會記得，曾經有人愛過她。愛永遠不會白費。」

我永遠不會有機會知道我的小黑貓下落如何，我希望有人會繼續照顧她。然而我可以肯定的是——因爲她，我在那次的假期中，經歷了許多寶貴的真實剎那。我的愛和慈悲，儘管非常短暫，但確實改變了她的命運，而她的愛也影響了我。

慈悲爲懷、隨時行善以創造真實剎那的方法很多，數不勝數：你可以做好一些三明治，帶到公園裡分送給露宿公園的流浪漢；你可以插一朵小雛菊在某個陌生人的車窗玻璃上；你可以告訴那位在餐廳裡爲你服務的先生或小姐，他們的工作表現十分周到。甚至你動都不必動——只要隨時對人抱持善念和愛意，自然能生成正面的效應和影響；如果看到有人愁眉苦臉或孤單寂寞，你可以在心中爲他們默想得到光和愛；想起在困境或傷痛中的友人時，用你心中愛的能源撫慰他們。

千萬別低估了小小善行的療傷能力。一個愛的字眼，就能把人從痛苦深淵中拯救出來，並且帶給他們希望；一個微笑，就能讓人相信他還有活著的理由；一個關懷的舉動，甚至可以救人一命。有不少人親口告訴我，他們曾經非常認真地考慮過結束自己的

愛和慈悲永遠不會白費。
生命永遠會因爲它們而有所變化。
受者因此得惠，
而施者如你，也因此得福。

生命，而在電梯裡有個陌生人跟他們打了個招呼，或接到一通朋友打來的電話說「我心裡正念著你」之後，打消了自殺的念頭。僅僅一個關愛的真實剎那，就足以改變一切。

正在讀這本書的朋友，從明天開始，如果你能每天隨手做一件好事，我們的世界一定會從此改觀。

感謝天地

昨天我去爬山。到達山頂時，我在兩座高高的石塔之間，找到一塊平坦的地方坐了下來。萬里無雲，一望無際，古老的紅石大峽谷，是大地的雄偉標記，成就出這片美國西南方的壯麗景色。層巒起伏的山丘，因爲有了仙人掌、小叢林和野花的點綴，顯得生意盎然。而天空，如洗的碧空，綿延天際。風有點急，卻有著溫馨軟玉般的氣息，吻遍山頭和我的臉頰。兩隻鷹在我頭頂上的空中，不費吹灰之力地隨著氣流時而翱翔、時而滯流，看牠們展翅御風的英姿，彷彿也在爲這壯麗的景致和美好的午後仰天讚歎。

我爲尋找真實的剎那來到這山頭，結果不虛此行。除了我身處之地和眼前的美景，其他一切都已拋在腦後；目睹了造物主如此妙不可言的揮灑和安排，感恩是我唯一的心情。感謝天地間存在著這麼一個角落；感謝我還保有一雙穩健的腿，能攀上這陡峭的山坡；感謝我能擁有清晰的視力，得以親炙上天鬼斧神工的精緻與細膩；感謝我至愛的丈

夫和性靈之旅的同路友伴，他們的精神與我常相左右；感謝生命中一路行來曾指引過我、護衛過我的各方力量，使我能平安地活到此刻。

我的心充滿了寧靜的喜悅。意識已完全騰空，只等待平靜祥和的到來。全身的每一個細胞都在輕輕地頌念著：「謝謝……。」

追根究柢，真實剎那永遠是感恩的時刻。心中沒有真正的感激之情，便不可能享有真實剎那。你若有心，則僅僅爲了還活著、還能全力投入手邊的工作，便該心存感激。你獨一無二的存在是個奇蹟，你寄寓的世界也是個奇蹟。不必來到山顛才能激起你的感激之情，任何時候只要你稍歇腳步，凝神體會自己活在這地球上的事實，你的靈魂自會輕歎一聲：「謝謝。」

以讚美回饋造物者

如果你想要擁有真實的剎那，但怎麼也想不起來這些篇章裡所說的任何一種方法，那就專注於感恩的心吧。想一些令你覺得心懷感激的事，讓自己全心全意地浸淫其中；令你心懷感謝的或許是孩子的健康平安，或許是朋友對你從不間斷的關愛；也許你會爲早晨能從舒適的床上悠悠醒來，並且有早餐可吃而心存感激；也或許你爲經歷了長久以來種種自我毀滅的行徑之後，仍能存活至今而謝天不已。不要保留、不要抗拒，就讓自

己淹沒在感恩的洪流裡吧，真實剎那就在其中。

時時心存感激，你的生命便是一篇有力的禱詞。我們常以爲禱告是向更高力量尋求幫助或懇請賜福，而在我們的生活當中，總有些時候、在某些地方，會很需要外力的指引或幫助。然而「祈禱」（pray）這個字的本意其實是「稱頌讚美」（to praise）。人類自古便知道，以祈禱感謝上帝創造萬物，並歌頌生命的美好。這樣的祈禱，是傳送人類感激之情的通道，連接我們與自身對生命的熱愛，並提醒我們：真實剎那其實一直源源不絕地降臨在我們身上。

一位美國原住民的精神導師和作家貝爾（Sun Bear）認爲：人類長久領受了上天的賜與，祈禱是我們藉以回饋造物者的一種方式。地球賜我們以立足的家園；空氣讓我們呼吸生息；水使我們活命維生；陽光爲我們保暖，並照亮我們的前路。感恩，讓我們回歸平衡的生命。

我們的祈禱和讚美如何能影響這大宇宙?祈禱和讚美是一種動力，是一種愛的共鳴；而在宇宙中，所有的共鳴必互相影響。當你心懷感激，你便是以具體有形的方式關愛這宇宙萬有。

地球是一個活生生的、會呼吸的有機體。地球也需要愛和慈悲的照拂，一如生存其上的所有生命，一如你。我們經常忘記自己只是地球的過客，忘記大地之母寬厚地以其

自身，賜與我們舒適和享樂。你如果受邀到朋友家作客，你會把垃圾倒在她家的地板上嗎？你會在她的水源裡下毒嗎？你會爲了爭取多一點空間放置自己的財物，而拆掉她家的牆嗎？你會爲貪圖更大的生存空間，或只爲了消遣，而殺死她家的寵物嗎？

我們一直是以上述那種野蠻的方式，來對待生養我們的地球，像一羣魯莽無知的客人，以爲這地方可以來去自如。可這是我們的家啊，除了這兒，我們哪兒也去不了。

學會說「謝謝」

我們不能再視大地之母的關愛款待爲理所當然。我們必須像個行止得體的好客人那樣，尊重我們分配到的空間；自己弄髒的地方，自己清乾淨；使得上力幫忙的地方要不遺餘力；然後，最重要的，我們要學會說「謝謝」。

就從隨時向造物主說「謝謝」開始，你可以現在就行動。

——如果你就在窗戶旁，看看窗外，仔細瞧瞧那些綠樹，或是和你在這個星球上作伴的人們，或是讓你得以看見眼前美景的日光，然後說一聲「謝謝」，大聲地說。你會覺得很舒服，你的臉上會出現微笑。

——如果你在家，冰箱裡又正好裝滿了大地慷慨供應的各色食物，打開冰箱門，看看這些滋養美味的繁多色樣多麼令人激賞讚歎，然後說「謝謝」。

——走進孩子的臥室，細細端詳他們沉睡的面孔。他們可是由造物主的智慧精心設計，藉由你的身體而創造出來的。吻他們的額頭，爲他們蓋好被子，然後說「謝謝」。

——來一個深呼吸，感覺空氣流入你的肺囊，爲你的軀殼注入生命。呼氣，同時也釋放掉所有不再有用的東西。再一次吸氣——只要你還有需要，就永遠會有足夠的空氣供應你每一次的呼吸，這是天地間爲使你活下去的完美組合。再一次呼氣，然後說「謝謝」。

謝謝你們讀了我的文字，接納了隱藏在這些文字背後的愛。謝謝你們陪我走過這一段路，一直陪我走到這裡。我們快到家了。

第十五章

回歸心靈的原鄉

我努力尋找上帝，卻總只看見自己；
我努力尋找自己，上帝卻總在眼前。

——蘇菲引語（Sufi Quote）

人生之旅的終極目的在哪裡？不在別處，就在這裡；不在過去，不在未來，就在當下。唯有在當下，你才能找到你自己。也唯有在當下，你才能看見上帝。因爲你所擁有的，別無他物，除了當下，還是當下。

我一輩子都在學習怎樣回到當下，回到我真正存在的地方。在喚回我那曾經一片片逃家靈魂的過程中，自我也慢慢地、一點點地聚攏到這兒。我的靈魂曾經自以爲可以帶我尋到快樂而奔赴各地，終了卻發現快樂無法刻意獲取，唯賴學習而得，如今它們一片片朝我走回。

我一次又一次地忘了自己，又記起了自己，忘了又記起，忘了又記起。這就是人生，不是一條從這裡到那裡的直線，而是一個圓圈，從這裡出發，再回到這裡。只是每繞一圈，遺忘的痛苦便少一點，再記起也更容易一點。

成長之路指向真理

曾經有人以伏地的老鷹如何飛向天空來比喻我們靈魂的成長。老鷹從不拔地而起，一飛沖天；牠是以盤旋的方式，在相同的範圍內繞行一圈又一圈，但定是一圈高似一圈。這也是我們回歸自我的方式——緩慢地向上提升，升向真我的完整與自由，而最終，我們將成爲真理的一部分。

猶太法典（The Talmud）上說：「每一根小草都有它自己的守護天使，坐在它的肩上日夜對它細語：『長大啊，長大啊……。』」你也一樣，在回歸自我的人生旅途中，自有指引和保護。在你準備好的時候，在你需要的時候，精神導師自會適時出現。事實上，他們已經出現了，只是有些你認得出來，有些你認不出來。別忘了，精神導師會以各形各色的面貌出現，有些最出色的還可能看起來一點也不像老師呢。

精神導師的任務不在帶你往某處去，而是幫助你專注於你所在之處。要知道，你愈能放心於每一個當下，便能愈快感受到早已等在那兒的愛與寧靜。

藝術家克倫姆（Thomas Crum）曾說：

如果你把生命裡的每一天、每一次呼吸，都看待成一件雕琢中的藝術品，那將會是怎樣的一種生命形態？把自己想像成一件未完成的藝術，每一天裡的每一秒鐘，一件偉大的藝術創作隨著一次次的吐納而逐漸成形。

當我刻意追求快樂，
快樂即隱而不現。
當我不再一意尋找，
只全然放心當下，快樂竟在眼前。

夕陽薄暮裡，我不知不覺地來到了後院，從這裡我可以眺望自海面升起的濃霧，挨著我家這座山丘和橫亙眼前的這片荒野之間，一路湧進山谷裡。天空是一片紫氲和金黃的火焰。夜鶯如敬謹守分的僧侶般，反覆詠唱著同一個旋律。天地間，一切都靜止了。

剎那即永恆

抱著碧珠坐在院子裡，對大自然道晚安時的優雅身段驚豔不已之餘，我暗自思忖：「這些懾人魂魄的景致永遠會在這裡，即使三、四十年後我已作古，這一切仍然不會改變。一樣的霧會在一樣炎熱的夏日黃昏裡湧現，帶來一樣朦朧的夜；海依然會靜靜地躺在遠方；草坪上依然會是樹影搖曳；月亮依然會自雲端升起，將一片銀光灑向山谷。一切的一切都會在這兒，而我，已飄然遠去。」

有好幾分鐘，我爲這大自然的永恆震驚得出了神；我爲自己的無足輕重感到渺小、恐懼和絕望。我的生命究竟還有什麼意義？我能做些什麼或完成些什麼，才能證明我活過？

碧珠在我懷裡換了個姿勢好有更佳的視野，這一瞬間，我想起來了：我該做的其實就是我正在做的——

停下腳步，坐下來，爲世間壯麗的絕景做見證。

享受活著的恩典和福分。

全神貫注於當下，此時，此地。

去愛，要感恩。

每一分、每一秒，都要爲生命歡慶、歌頌：

我是那正在舉行的神聖儀典的一部分，我也曾爲這世界的燦爛輝煌而奉獻過。

願你的生命充滿真實剎那，也願你能在平靜祥和中，走過你的人生旅程。

BP039

熱情過活

歐爾／著　黃治蘋／譯

●定價三〇〇元

熱情過活不是口號，而是最快樂的人所具有的生活態度，你也可以同樣擁有光熱四射的璀璨人生，不過，一切得先從認清自己開始。

本書作者歐爾指出，現代人選擇太多，以及個人內在衝突不斷，往往使人不能確知自己究竟想要什麼，因而無法擁有自己熱愛的生活。

經過多年的觀察，歐爾發現，你所熱愛的事多半就是你的天賦所在，而由於這股熱愛，使你能夠堅持下去，直到將天賦發揮得淋漓盡致。本書的第一部分：便是要協助讀者找到熱力的源頭。

其次，本書提供了許多切實可行的方法，讓讀者明白自己內心的衝突爲何，從而掙脫桎梏，勇於邁向自己的生涯道路。

發現自我，以熱情擁抱生活，相信你必然能充實、快樂過一生。

BP037

心靈地圖（修訂版）

——追求愛與成長之路

派克／著　張定綺／譯

●定價二五〇元

在成長的路上，有人日夜咀嚼痛苦，不肯走出怨尤；有人卻相信淚後的人生更加光燦，努力尋找雨後的彩虹。本書作者派克要告訴我們，對現實的了解愈清楚，心靈中的那份地圖愈清晰，就生活得愈自在。

在派克的筆下，「愛」與「紀律」跳脫傳統的定義，成爲生活的依憑與指標，他鼓勵我們做個懂得自律與愛人的人，釐清個人的信仰與世界觀，對不可預期之事採開放的態度，如此心靈成長的果實將更形豐碩，也才可能擁有活潑光采的人生。

BP038

與心靈對話

派克／著　張定綺／譯

●定價二八〇元

生活，總是會有一絲絲無奈；心靈，也總有個小角落蟄伏不安，爲什麼？那是渴望與心靈對話的聲音，要求你面對真正的自己，尋得生命的真義。

被推崇爲當代精神導師的派克醫師，自喻爲心靈嚮導，熟悉心靈探險的法則，要帶領讀者穿越內心的空間，去經歷一場自我認知之旅。

第一部「重生」讓人徹悟意識爲痛苦之源，唯有接受生命有限的事實，改變消極心態，才能走出更開闊的人生。第二部「生命探索」從愛自己做起，更深入了解人性的特質與心靈成長的進階，幫助讀者爲自己定位。第三部「追尋信仰」探討信仰的弔詭本質、矛盾思考的重要，更進一步釐清新時代運動的利弊與盲點。

對於有心追尋成長的讀者，閱讀《與心靈對話》將是一個重要的里程碑。

天下文化〈社會人文系列之二〉

書號	書　名	作者	譯者	定價	備註
GB084	鬧中取靜	王力行		240	
GB085	誰在乎媒體（原名：第四勢力）	張作錦		250	
GB086	中國飛彈之父—錢學森之謎	張純如	張定綺、許耀雲	360	
GB087	全是贏家的學校—借鏡美國教改藍圖	威爾遜、戴維斯	蕭昭君	320	
GB088	一百億國票風暴	刁明芳		320	
GB089	孤獨與追尋—地質學大師許靖華的成長故事	許靖華	唐清蓉	380	
GB090	薪火—佛光山承先啟後的故事	符芝瑛		300	
GB091	寧靜中的風雨—蔣孝勇的真實聲音	王力行、汪士淳		360	
GB092	試為媒體說短長	張作錦		250	
GB093	日本情結—從蔣介石到李登輝	徐宗懋		260	
GB094	田長霖的柏克萊之路—華裔校長的輝煌歲月	劉曉莉		300	
GB095	堤河邑冒險學校—紐西蘭的山野教育	尹萍、韓敦瑋		240	
GB096	刻畫人間—藝術大師朱銘傳	楊孟瑜		360	
GB097	宇宙遊子—柯錫杰：台灣現代攝影第一人	余宜芳		360	
GB098	被遺忘的大屠殺—1937南京浩劫	張純如	蕭富元	360	
GB099	20世紀中國人的山河歲月	中華歷史工作室		2500	
GB100	追隨半世紀—李煥與經國先生	林蔭庭		360	
GB101	回首向來蕭瑟處	孫震		260	
GB102	新台灣人之路—建構一個乾乾淨淨的社會	高希均		300	
GB103	民進黨轉型之痛	郭正亮		340	
GB104	從森林小徑到椰林大道——人本教育的思考與實踐	史英		300	
GB105	許信良的政治世界	夏珍		380	
GB106	交鋒——當代中國三次思想解放實錄	馬立誠、凌志軍		300	
GB107	飆舞—林懷民與雲門傳奇	楊孟瑜		360	
GB108	讓好人出頭—王建煊的從政理念	王建煊		320	（增訂版）
GB109	從憂患中走來—梅可望回憶錄	梅可望		340	
GB110	蘭陽之子游錫堃	林志恆		360	
GB111	個人歷史—全美最有影響力的女報人葛蘭姆（上）	凱瑟琳．葛蘭姆	尹萍	280	
GB112	個人歷史—全美最有影響力的女報人葛蘭姆（下）	凱瑟琳．葛蘭姆	尹萍	300	
GB113	蘇格拉底與孟子的虛擬對話—建構法治理想國	周天瑋		260	
GB114	壯志未酬—王作榮自傳	王作榮		500	
GB115	茱萸的孩子——余光中傳	傅孟麗		320	
GB116	今生相隨——楊惠姍、張　毅與琉璃工房	符芝瑛		360	
GB117	李光耀治國之鑰	韓福光等	張定綺	300	
GB118	忠與過——情治首長汪希苓的起落	汪士淳		360	
GB119	呼喊——當今中國的五種聲音	凌志軍．馬立誠		360	
GB120	惡夜執迷	道格拉斯、歐爾薛克	李宛蓉	350	
GB121	種活藝術的種子——朱銘美學觀	潘煊		280	
GB122	遇見百分百的連戰	陳鳳馨		320	
GB123	吳京教改心	吳京口述、楊蕙菁撰寫		250	
GB124	高腳凳上說故事	吳京口述、楊丹辰撰寫		250	
GB125	許信良的政治世界	夏珍		380	（新版）
GB126	偶然生為亞裔人——一位ABC的成長心路	劉柏川	尹萍	230	

天下文化〈社會人文系列之一〉

書號	書　名	作者	譯者	定價	備註
GB001	我們正在寫歷史—方勵之自選集	方勵之		200	
GB009	蕭乾與文潔若（上、下冊）	文潔若		400	
GB013	尋找台灣生命力	小野		200	
GB014	風雨江山—許倬雲的天下事	許倬雲		220	
GB027	大格局	高希均		220	
GB028	智慧新憲章—著作權與現代生活	理律法律事務所		250	
GB030	美麗共生—使用地球者付費	凱恩格斯	徐炳勳	220	
GB033	尋找心中那把尺	熊秉元		220	
GB037	時代七十年	姜敬寬		250	
GB040	無愧—郝柏村的政治之旅	王力行		360	
GB043	活用消費者保護法	理律法律事務所		280	
GB044	無冕王的神話世界	羅文輝		220	
GB046	最後的貓熊	夏勒	張定綺	320	
GB048	歡喜人間（上）	星雲大師		250	
GB049	歡喜人間（下）	星雲大師		250	
GB050	報人王惕吾—聯合報的故事	王麗美		360	
GB051	燈塔的故事	熊秉元		220	
GB053	電腦叛客	海芙納、馬可夫	尚青松	280	
GB054	觀念播種—高希均文集Ⅰ	高希均		250	
GB055	優勢台灣—高希均文集Ⅱ	高希均		250	
GB056	失控—解讀新世紀亂象	布里辛斯基	陳秀娟	250	
GB059	教育改革的省思	郭為藩		280	
GB060	石油一生—李達海回憶錄	鄧潔華整理		360	
GB061	1895日軍侵台圖紀—台灣民主國抗敵實錄	徐宗懋策劃		360	
GB062	務實的台灣人	徐宗懋		300	
GB063	點滴在心頭—42位身邊人談二位蔣總統	朱秀娟訪談		320	
GB064	大家都站著	熊秉元		250	
GB065	惜緣	王端正		220	
GB066	傳燈—星雲大師傳	符芝瑛		360	
GB067	出走紐西蘭—一個母親的教育實驗	尹萍		240	
GB068	誠信—林洋港回憶錄	官麗嘉		360	
GB069	讓好人出頭—王建煊的從政理念	王建煊		320	
GB070	頂尖人物成功之路	李慧菊　等		240	
GB071	大是大非—梁肅戎回憶錄	梁肅戎		360	
GB072	永遠的春天—陳香梅自傳	陳香梅		360	
GB073	郝總長日記中的經國先生晚年	郝柏村		360	
GB074	我心永平—連戰從政之路	林黛嫚		300	
GB075	大愛—證嚴法師與慈濟世界	丘秀芷		360	
GB076	捍衛網路	克里夫・斯多	白方平	420	
GB077	探險天地間—劉其偉傳奇	楊孟瑜		360	
GB078	期待一個城市	黃碧端		280	
GB079	狗兒的祕密生活	湯瑪士	符芝瑛	280	
GB080	千山獨行—蔣緯國的人生之旅	汪士淳		360	
GB081	前進非洲	派克	陳秀娟	360	
GB082	響自心靈的高音—卡列拉斯自傳	卡列拉斯	張劉芬	320	
GB083	小女遊學英倫—教育體制外的一扇窗	陳淑玲		220	

天下文化〈心理勵志系列之二〉

書號	書　　名	作者	譯者	定價	備註
BP057	365天領導心法	盧斯	汪芸、柯清心	320	
BP058	生命的領航	鮑曼　等	孫秀惠	200	
BP059	X世代的價值觀	塔爾根	李根芳	250	
BP060	挑戰極限	麥克．強生	楊淑智	240	
BP061	新中年主張	希伊	蕭德蘭	420	
BP062	敢說真話	瑞安　等	陳秀娟	280	
BP063	另類家庭	埃亨、貝利	鄭清榮、諶悠文	320	
BP064	快樂自己求	歐爾	李月華	260	
BP065	自然的指印	紐鮑爾　等	趙永芬	250	
BP066	婚姻，可以很美滿	沃勒斯坦　等	張慧倩	320	
BP067	簡單活出自己	海因里希斯　等	譚家瑜	280	
BP068	靈魂符碼	希爾曼	薛絢	280	
BP069	外遇的男女心理	史普林　等	高蘭馨、柯清心	340	
BP070	嬰兒的感官世界	莫勒　等	蕭德蘭	340	
BP071	與成功有約	柯維	顧淑馨	280	
BP072	與領導有約	柯維	徐炳勳	320	
BP073	與幸福有約	柯維	汪芸	450	
BP074	旅行，重新打造自己	寇特勒	黎雅麗	280	
BP075	生命的心流	奇克森特米海伊	陳秀娟	220	
BP076	男人，別傻了！	史萊辛爾	李月華	300	
BP077	我家小孩高EQ	夏皮羅	薛美珍、諶悠文	300	
BP078	ABOUT愛情學問	彭懷真		250	
BP079	聰明打開話匣子	蘿安	柯清心	240	
BP080	纖細一線	艾克曼	張定綺	320	
BP081	與影響力有約	李卜廉	譚家瑜	360	
BP082	有壓力，更有勁！	洛爾	薛絢	260	
BP083	生命在愛中成長	范贊特	黃秀媛	280	
BP084	愈成熟，愈快樂	皮特曼	黃秀媛	320	
BP085	活用你的思考風格	史坦伯格	薛絢	240	
BP086	啊哈！來個新點子	艾揚	趙永芬	280	
BP087	笑傲職場	波德斯塔　等	諶悠文	250	
BP088	我家小孩愛上學	戈爾茲坦、馬瑟	柯清心	300	
BP089	愛工作，更愛人生	克拉克	張慧倩	250	
BP090	用心愛自己	布蘭納克	柯清心	280	
BP091	人生，另一種解答	葆森　等	趙瑜瑞	220	
BP092	有一天，我的心就這麼打開了	范贊特	汪芸	320	
BP093	男人新中年主張	蓋爾．希伊	黃秀媛	320	
BP094	享受工作好關係	波頓　等	張琇雲	280	

天下文化〈心理勵志系列之一〉

書號	書　名	作者	譯者	定價	備註
BP001Y	樂在工作	魏特利、薇特	尹萍	250	
BP004X	樂在溝通—做個會說話的上班族	白克	顧淑馨	250	
BP008	長大的感覺，真好	帕翠生、桂特兒	尹萍	150	
BP009	可以勇敢，也可以溫柔	史克蘿	何亞威	220	
BP010X	生涯挑戰101—做工作的主人	迪梅爾　等	李淑嫻	250	
BP011X	腦力激進—十二週成長計畫	莎凡、佛莉契	李芸玫	250	
BP013	一躍而過	麥考梅克	顧淑馨	220	
BP014	愛與被愛	霍克	劉毓玲	200	
BP016	資訊創意家	川勝久	呂美女	200	
BP017	自助保健	希爾絲	邱秀莉	200	
BP020X	生涯定位	卡維　等	黃孝如	250	
BP021X	21世紀工作觀	麥考比	李瑞豐	250	
BP023	樂在談判	貝瑟曼、尼爾	賓靜蓀	220	
BP024	看，錢在說話	亞伯朗斯基	盧惠芬	280	
BP025	魅力，其實很簡單	瑞吉歐	蕭德蘭	220	
BP026X	快樂，從心開始	契克森米哈賴	張定綺	300	
BP027	志在奪標	魏特利	邱秀莉	220	
BP028	開拓創意心	辛妮塔	莊勝雄	250	
BP029X	有聲有色做溝通	華頓	譚家瑜	300	
BP030	破解工作苦	史崔瑟、西奈	蕭德蘭	220	
BP031	激發決策腦	道森	盧惠芬	250	
BP032	其實你真的聰明	艾波思坦　等	蕭德蘭	250	
BP033X	扣準時機的節奏	魏特利	朱偉雄	280	
BP034X	夢想，改造一生	布朗	陳秀娟	280	
BP035	全面成功	金克拉	陳秀娟	300	
BP036	駕馭變局十二法則	歐力森	李宛蓉	280	
BP037	心靈地圖（修訂版）	派克	張定綺	250	
BP038	與心靈對話	派克	張定綺	280	
BP039	熱情過活	歐爾	黃治蘋	300	
BP040	寂寞的，不只是你	古屋和雄	唐素燕	240	
BP041	親愛的，為什麼我不懂你	葛瑞	蕭德蘭	300	
BP042	相愛到白頭	葛瑞	黃孝如	320	
BP043	頑石也點頭	傑立森	趙永芬	250	
BP044	人生四季之美	日野原重明	高淑玲	200	
BP045	活在當下	安吉麗思	黎雅麗	300	
BP046	造就自己	莫里斯	周旭華	300	
BP047	阻力最小之路	弗利慈	徐炳勳	320	
BP048	辦公室男女對話	坦南	黃嘉琳	320	
BP049	錯把太太當帽子的人	薩克斯	孫秀惠	320	
BP050	火星上的人類學家	薩克斯	趙永芬	340	
BP051	開啟希望之門	派恩　等	蕭富元	200	
BP052	生死之歌	雷凡	汪芸、于而彥	320	
BP053	誰是老闆—如何做個高效能的主管	波奇艾勒第	黎拔佳	240	
BP054	回歸真愛	史萊辛爾	林蔭庭	260	
BP055	聽眼淚說話	寇特勒	莊安祺	240	
BP056	抓住心靈時刻	赫特夏芬	鄭清榮	300	

天下文化〈財經企管系列之三〉

書號	書　　名	作者	譯者	定價	備註
CB179	廢墟中站起的巨人——一位哈佛學者眼中的松下幸之助	約翰・科特	林麗冠	300	
CB180	談判其實很Easy——McCormack的實戰智慧	馬克・麥考梅克	楊美齡	250	
CB181	創意有方——水平思考談管理	愛德華・狄波諾	蕭富元	320	
CB182	組織寓言	查爾斯・韓第	施純菁	300	
CB183	管理其實很Easy——McCormack的領導祕訣	馬克・麥考梅克	吳美麗	250	
CB184	杜拉克看亞洲	彼得・杜拉克、中內功	鄧嘉玲	280	
CB185	大師的軌跡——探索杜拉克的世界	傑克・畢堤	李田樹	320	
CB186	關於創意我有意見！	黃文博		250	
CB187	適當的自私	查爾斯・韓第	趙永芬	300	
CB188	銷售其實很Easy	馬克・麥考梅克	林宜萍	250	
CB189	現學，現賣！	山姆・迪克　編	馬孟晶	320	
CB190	競爭優勢（上）	波特	李明軒、邱如美	400	
CB191	競爭優勢（下）	波特	李明軒、邱如美	400	
CB192	基金理財的六堂課	邱顯比		250	
CB193	養錢防老	查爾斯・希瓦柏	施純菁	280	
CB194	巨龍	伯斯坦、凱澤	應小端、黃秀媛	460	
CB195	別怕換老闆	史蒂芬・史考特	楊美齡	300	
CB196	小故事，賺大錢	大衛・阿姆斯壯	應小端	300	
CB197	小故事，妙管理	大衛・阿姆斯壯	黃炎媛	240	
CB198	溝通其實很Easy——McCormack的說服技巧	馬克・麥考梅克	莊錦福	250	
CB199	杜拉克　經理人的專業與挑戰	彼得・杜拉克	李田樹	320	
CB200	無私的開創——高清愿傳	莊素玉		360	
CB201	可樂教父——錢、權力、奮鬥史	大衛・葛雷森	楊美齡	360	
CB202	意外的利潤——5美元打造冰淇淋王國	班・柯恩　等	應小端	320	
CB203	口到錢來——攻無不克的成交祕訣	查爾斯・羅士等	蔡依玲	320	
CB204	家家鍋裡有隻雞——糧畜巨人大成集團的故事	王梅		320	
CB205	非營利組織的經營管理		司徒達賢	350	
CB206	@趨勢——全球第一Internet防毒公司創業傳奇		陳怡蓁、張明正	280	

天下文化〈財經企管系列之二〉

書號	書　名	作者	譯者	定價	備註
CB133	亞洲大趨勢	約翰．奈思比	林蔭庭	340	
CB134	企業推手	戴維斯、包特肯	周旭華	250	
CB135	策略遊戲	希克曼	楊美齡	340	
CB136	行銷之神—佳能怪傑瀧川精一的故事	瀧川精一、卡拉爾	趙永芬	200	
CB137	行銷172誡	克藍希、舒爾曼	周怜利	380	
CB138	超越管理迷思—重新探索管理真諦	艾克斯　等	方美智	340	
CB139	再造宏碁	施振榮、林文玲		360	
CB140	漫步華爾街	墨基爾	楊美齡	460	
CB141	異端者的時代	大前研一	劉天祥	220	
CB142	時間陷阱	麥肯思	譚家瑜	320	
CB143	目標	高德拉特、科克斯	齊若蘭	460	
CB144	標竿學習—向企業典範借鏡	史平多利尼	呂錦珍	320	
CB145	國家競爭優勢（上）	波特	李明軒、邱如美	500	
CB146	國家競爭優勢（下）	波特	李明軒、邱如美	500	
CB147	競爭力手冊	高希均、石滋宜		160	
CB148	動力東元—馬達轉出無限生機	東元科技文教基金會		280	
CB149	轉虧為盈—國家半導體成功轉型經驗	歐勉國、賽蒙	呂錦珍	380	
CB150	談笑用兵—洞悉商場策略	麥凱	鄭懷超、曾陽晴	320	
CB151	攻心為上—活用的商場智慧	麥凱	曾陽晴	250	
CB152	麥當勞—探索金拱門的奇蹟	洛夫	韓定國	320	
CB153	跨世紀資訊商戰	黃欽勇　等		260	
CB154	組織遊戲	希克曼	楊美齡	340	
CB155	戴明的管理方法	瑪麗．華頓	周旭華	350	
CB156	戴明的新經濟觀	戴明	戴久永	250	
CB157	轉危為安—戴明管理十四要點的理念與實踐	戴明	鍾漢清	500	
CB158	哈佛學不到的經營策略	麥考梅克	任中原	280	
CB159	變動的年代—從不確定中創造新願景	韓第	周旭華	250	
CB160	雙贏策略—苗豐強策略聯盟的故事	苗豐強、齊若蘭		300	
CB161	股市陷阱88—掌握投資心理因素	巴瑞克	陳延元	280	
CB162	絕不是靠運氣—創造事業與人生的雙贏	高德拉特	周怜利	360	
CB163	抓住員工的心—建立留得住人才的公司	墨林	周怜利	220	
CB164	小公司的經營妙招—301個好點子	布洛考　編	周怜利	320	
CB165	管理Open-Book—開卷式管理的威力	薛斯特　等	黃進發	340	
CB166	管理浪潮下的迷思	謝佩珞	楊美齡	300	
CB167	內部行銷	蕭富峰		280	
CB168	破繭而出—競逐未來的經營智慧	邱義城		300	
CB169	贏得顧客心	懷特利、哈珊	譚家瑜	300	
CB170	競爭策略	波特	周旭華	500	
CB171	勇於創新—組織的改造與重生	塔辛曼、奧賴利	周旭華	280	
CB172	張忠謀自傳（上冊）1931-1964	張忠謀		260	
CB173	7個天才團隊的故事	班尼斯、畢德蔓	張慧倩	260	
CB174	諾貝爾之路—十三位經濟獎得主的故事	伯烈特、史賓斯	黃進發	360	
CB175	學習革命—石滋宜觀點	石滋宜		240	
CB176	電子精英—34項致勝策略	詹姆士	楊美齡	260	
CB177	企業成功轉型8 Steps	科特	邱如美	250	
CB178	富比士二百年英雄人物榜	葛洛斯　等	楊美齡	380	

國立中央圖書館出版品預行編目資料

活在當下 / 安吉麗思（Barbara De Angelis）著；黎雅麗譯.--第一版．--臺北市：天下文化出版；[臺北縣三重市]：黎銘總經銷,1996[民85]
面；　公分.--(心理勵志；45)
譯自：Real moments
ISBN 957-621-306-1（平裝）
1.自我實現（心理學）

177　　84013845

心理勵志㊺

活在當下

作　者／芭芭拉·狄·安吉麗思
譯　者／黎雅麗
責任編輯／許耀雲、馮克芸（特約）
封面設計／吳毓奇
美術編輯·攝影／李錦鳳
社　長／高希均
發行人／王力行
法律顧問／理律法律事務所陳長文律師、太穎國際法律事務所謝穎青律師
出版者／天下遠見出版股份有限公司
地　址／台北市104松江路93巷1號2樓
電　話／(02)2506-4618
直接郵撥帳號／1326703-6號　天下遠見出版股份有限公司
電腦排版／極翔企業有限公司
製版廠／長城製版印刷股份有限公司
印刷廠／崇寶彩藝印刷股份有限公司
裝訂廠／台興裝訂廠
登記證／局版台業字第2517號
總經銷／黎銘圖書有限公司　　電話／(02)2981-8089

出版日期／1996年1月20日第一版
2001年3月25日第一版第42次印行
定價／300元
by Barbara De Angelis
published by Commonwealth Publishing Co., Ltd.

Printed in Taiwan
ISBN：957-621-306-1（英文版ISBN：0385-31068-4）
書號：BP045

※本書如有缺頁、破損、裝訂錯誤，請寄回本公司調換。